SUMARIO

Nº 439
ESPECIAL ESQUÍ DE MONTAÑA 2024/25

Desnivel
C/ San Victorino nº 8 • 28025 Madrid
Teléfono: 91 360 22 42 Fax: 91 360 22 64

Director
Darío Rodríguez
dario@desnivel.com

Redacción
Eva Martos
evamartos@desnivel.com

Colaboran en este número
Álvaro Robledano, Diego Borches, Eric Delapèrriere,
Julio Viñuales, Rocío Hurtado, José Ángel Méndez,
Fernando Vivancos y Manuel Suárez.

Director de Arte
Gregorio Arranz
g.arranz@desnivel.com

DEPARTAMENTO DE PUBLICIDAD
M. Ángeles Trujillo (directora)
mariangeles@desnivel.com
Tel: 91 360 22 60

Desnivel.com
José Yáñez (webmaster)
webmaster@desnivel.com

Contabilidad
Mayte López mayte@desnivel.com
Tel: 91 360 26 20

DISTRIBUCIÓN
María José Santamaría
Tel: 91 360 22 84
distribucion@desnivel.com

Ramón Díaz y Pedro Montes (envíos)

Pedidos Librería Desnivel
Tel: 91 369 42 90

SUSCRIPCIONES
Tel: 91 360 26 20 (horario de 9 a 16:00 h).
suscripciones@desnivel.com
http://desnivel.com/suscripciones

Imprime Nueva Imprenta
en papel ecológico TCF
(totalmente libre de cloro)

Impresa en España/Printed in Spain

Distribuye SGEL
Tel: 91 661 70 00

PVP Canarias:
+0,15 eur sobre precio de portada

Depósito legal: M-8747-2013
ISBN: 978-84-9829-692-1
ISSN: 0211-9765

Fotografía de portada:
Esquí de montaña en Alpes.
Foto: Max Dräger / Head.

4 Descubrimos las montañas de Kazajistán como destino idóneo para disfrutar con las tablas, por zonas poco concurridas, con nieve de calidad, amplios horizontes y locales hospitalarios.

12 Analizamos los requisitos que han de tener las prendas que mantienen eficazmente el confort térmico en las condiciones extremas que impone el esquí de montaña.

20 Deslizarse con las tablas rodeados de las cumbres patagónicas es un sueño que te proponemos convertir en realidad con este artículo. Encontrarás inspiración y datos prácticos para realizar distintas rutas por la Patagonia y la Tierra de Fuego, en los Andes.

30 Gran parte del éxito de una actividad depende de lo que hagas antes de salir de casa. Descubre el decálogo para una adecuada planificación de una ruta de esquí de montaña, con especial atención a la correcta interpretación de un BPA (Boletín de Peligro de Avalanchas).

38 Nos adentramos en los Pirineos Orientales, en concreto en la estación de Capcir, para traeros una propuesta original: una ruta de esquí de travesía nórdico; una disciplina a medio camino entre el esquí de travesía y el esquí de fondo. Refugios acogedores, poca gente y blancos paisajes son los alicientes de esta travesía de varios días.

54 El sector de las mochilas diseñadas específicamente para el esquí sigue evolucionando. Analizamos cuáles son las principales innovaciones de los fabricantes, encaminadas a una mejor adaptación de la carga a los giros y movimientos del esquiador.

74 Aunque no es una maniobra habitual, en casos puntuales necesitaremos descender encordados a nuestro compañero. Explicamos la técnica para realizarlo.

76 Recorremos Sierra Nevada en una ruta circular de dos jornadas que pasa por cuatro tresmiles, incluyendo soberbios descensos y rincones poco frecuentados, además de inigualables vistas de la sierra granadina.

+ **ESCAPARATE DE NOVEDADES**
Descubre lo nuevo en vestimenta, equipamiento, mochilas y más productos de las principales marcas **(PÁGS. 46 y 64).**

KAZAJISTÁN
Un destino para
explorar con las tablas

ANDES CHILENOS Y ARGENTINOS
Esquí de montaña
en Patagonia y Tierra del Fuego

SEGURIDAD
PLANIFICA BIEN TU RUTA Y
COMPRENDE LOS BPA

PIRINEOS ORIENTALES
Esquí de travesía nórdico en el
CAPCIR

CIRCULAR POR
LOS TRESMILES ORIENTALES DE
SIERRA NEVADA
En busca de la soledad

SÍGUENOS EN:
desnivel.com
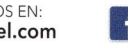 facebook.com/revistadesnivel
 twitter.com/desnivelados
 instagram.com/desnivel_revista

ESPECIAL ESQUÍ 2024/2025 | **3**

Las montañas kazajas se nos desvelan como un lugar en el que reconectar con la esencia del esquí de montaña: zonas poco exploradas y aún menos concurridas, nieve de calidad y paisajes de amplios horizontes que se unen a la amabilidad de sus gentes. // **Por Alvaro ROBLEDANO**

Tras una jornada de esquí, llegando a la cabaña de cazadores que fue su hogar durante varios días, ubicada en medio de los bosques de Ketmen, cerca de la frontera entre Kazajistán y China.

KAZAJISTÁN

Un destino para explorar con las tablas

«NOS vamos a esquiar a Kazajistán». Todo nuestro círculo cercano nos miraba con una mezcla de perplejidad y escepticismo al anunciarles dónde queríamos ir de viaje en el invierno de 2024. Y no es de extrañar, ya que Kazajistán, junto con todas las exrepúblicas soviéticas que forman parte de lo que conocemos como Asia Central, es uno de esos lugares que situamos en algún punto entre Rusia, China e Irán, pero del que no sabemos mucho más. A la sombra de sus vecinas Kirguistán (con sus afamadas cordilleras y alpinismo) o Uzbekistán (con la Ruta de la Seda), Kazajistán es un país algo más desconocido.

Su vasta extensión—es el noveno país más grande del mundo—acoge diferentes y muy diversas etnias y culturas, con un curioso contraste entre la influencia soviética y una marcada herencia nómada. Pese a que gran parte del país está cubierta por estepas, desiertos y llanuras, las zonas fronterizas con Kirguistán y China están cubiertas de grandes montañas, en las inmediaciones del Tien-Shan. Es allí donde nos dirigimos en pleno mes de enero.

ALMATY
Entre estepas y montañas

Almaty, la antigua capital y la ciudad más poblada de Kazajistán, es un campo base ideal para explorar la cordillera que separa Kazajistán y Kirguistán, el Trans-Ili Alatau, con cimas que superan los 4000 m de altitud. Es en esta ciudad donde encontramos gran parte de la escasa infraestructura turística de montaña (guías, transporte, etc). Almaty nos recibe nevando y con temperaturas bajo cero, y nos sorprende encontrarnos con una ciudad moderna, con buenos servicios y mucho movimiento, en la que una gran variedad de etnias, religiones y culturas se mezcla sin parar. Aunque el esquí sea el motivo principal del viaje, Almaty bien merece una visita para comprender mejor la complejidad y la riqueza cultural de Asia Central.

Desde Almaty comenzó nuestro viaje de esquí de montaña, que consistió en dos bloques en dos zonas principales: una primera parte cerca de Almaty, en el conocido como Turgen Valley, y una segunda parte más al este, cerca de la frontera china, en lo que se conoce como Ketmen Ridge.

TURGEN VALLEY
Esquí y yurtas

Apenas una hora y media en 4x4 nos lleva desde las comodidades de Almaty hasta el corazón del parque nacional del Ile Ala-

FOTOS: DIEGO BORCHERS

Como se aprecia en las imágenes de arriba, la nieve suele ser polvo y de gran calidad. Se progresa por zonas boscosas, aprovechando los claros para disfrutar de laderas totalmente vírgenes. A la izquierda, felicidad al llegar a la yurta, tras todo el día esquiando en Turgen.

tau. No encontraremos carreteras asfaltadas ni cobertura telefónica, solo bosques y alguna granja en kilómetros a la redonda. Nuestro guía Oleg carga el trineo y nos calzamos los esquís en dirección a nuestro hogar durante tres días: una yurta en el fondo de un valle en pleno parque nacional. Desde la yurta, situada a 1800 m de altitud, tenemos acceso a un terreno variado con zonas boscosas y otras más abiertas, ideales para subir y encontrar laderas totalmente vírgenes a la hora de bajar.

Las cimas, como el Conus y el Kuiyk, alcanzan los 2600-2800 m de altitud y ofre-

cen pendientes fuertes que contrastan con las lomas suaves del valle, perfectas para esquiar de vuelta a la yurta. Hemos tenido suerte, ya que las nevadas de los últimos dos días dejaron cerca de 40 cm de nieve polvo, seca y fría como pocas veces hemos probado, lo que creó condiciones espectaculares para el esquí. El manto es estable, la visibilidad perfecta y la temperatura se mantiene fría, hasta los -20°C al amanecer. Cada día, con Oleg a la traza, ascendemos por el frío fondo del valle hasta la línea de crestas, y desde allí bajamos buscando claros en el bosque, donde la nieve se mantiene intacta. Repetimos esta rutina hasta que atardece y volvemos a la yurta.

Más allá del esquí, la vida en la yurta es simple: comer, beber té, cortar leña, coger agua del río y encender la estufa. Las preocupaciones desaparecen; no hay absolutamente nadie en toda la zona con quien competir por abrir traza, y nuestro mayor reto es mantener la yurta a una temperatura agradable. Las vistas son impresionantes: al norte, la inmensa estepa nevada; al sur, las infinitas montañas del Ile Alatau y el plateau de Asy, una gran extensión de prados a 2800 m de altitud por donde los pueblos nómadas cruzaban entre Kirguistán y Kazajistán. Esquí y historia se entrelazan en este lugar cargado de significado.

RUMBO AL ESTE
Atravesando la estepa kazaja
Para la segunda parte del viaje nos trasladamos hacia el este, cerca de la frontera con China. Un viaje de varias horas atravesando el Kazajistán rural, con sus estepas nevadas y pequeños pueblos. Gracias a Konstantin, nuestro conductor, aprovechamos esas horas para aprender más sobre la

Paisajes en los que el tiempo parece detenido... Arriba, un camión de ganado abandonado en pleno parque nacional de Ile Alatau. Derecha, el que fue su único contacto con la civilización en 5 días: la autoridad local de Ketmen y sus caballos. Abajo, una tarea diaria, cortar leña para la estufa.

historia del pueblo kazajo. La influencia soviética es aún muy marcada en estas zonas menos desarrolladas, en tierras de los uigures. No es raro ver grupos formados por personas de rasgos eslavos y mongoles, hablando indistintamente ruso o kazajo. Durante el trayecto, los Lada Niva locales se mezclan con berlinas y SUVs modernos de los habitantes de Almaty, de camino a la zona de baños termales de Chundzha. Conducir por estas estepas a varios grados bajo cero es una experiencia inolvidable, con caballos, zorros e incluso camellos acompañándonos en el recorrido.

FOTOS: DIEGO BORCHERS

Nuestro viaje finaliza en la ciudad de Ketpen, donde Indira y su familia nos acogen por una noche antes de aventurarnos durante cinco días en las montañas cercanas, el Ketmen Ridge.

KETMEN RIDGE
La cabaña en el bosque

Nuestro periplo en Ketmen comienza con una visita de la policía local, que registra a las pocas personas que entran en la zona, por si no volvemos en cinco días. Tras firmar un documento en cirílico, nos dirigimos hacia el interior del macizo. Nuestro hogar será una cabaña de cazadores en mitad de la nada. Mientras nosotros avanzamos con nuestros esquís, el material y las provisiones llegan... ¡a caballo!

Los bosques de Ketmen tienen menos nieve que Turgen debido a su clima más desértico, pero la belleza del lugar es innegable. El esquí aquí se realiza en estrella, esquiando alrededor de la cabaña y volviendo cada tarde. Hacemos varias subidas y bajadas cortas, buscando las mejores laderas, principalmente en las caras norte. Las cimas por encima de 3.000 m son rocosas y necesitan más nieve, por lo que se esquian mejor en primavera.

Los días en la cabaña nos hicieron reflexionar sobre los lugares únicos a los que nos lleva el esquí. Indira y su equipo nos permitieron conocer mejor la cultura kazaja, disfrutar de una banya y probar su gastronomía. La carne, especialmente de cordero y caballo, es un elemento básico, y no podíamos irnos sin probar el kumys (leche de yegua fermentada). Kazajistán es un país hermoso, su gente es amable y el esquí es increíble.

Alvaro ROBLEDANO

FOTOS: DIEGO BORCHERS

Arriba, el equipo entero en la cabaña de Ketmen. A la derecha, compra de provisiones en el Bazar Verde de Almaty, la ciudad más grande de Kazajistán y punto de partida del viaje, que bien merece la pena visitar. Y abajo, la yurta de Turgen, mucho más amplia de lo que parece desde el exterior.

DATOS DE INTERÉS

Cómo llegar

Para llegar a Almaty existen buenas conexiones desde España con Lufthansa (vía Fráncfort) y con Turkish Airlines (vía Estambul). En Lufthansa al facturar equipaje tenemos la ventaja de poder facturar a su vez de manera gratuita el equipaje deportivo. Los precios pueden variar durante el invierno-primavera, pero se pueden conseguir por 600 euros por persona, incluyendo el equipaje.

El acceso desde Almaty hasta Turgen y Ketmen se hace por carretera: Turgen está a unos 80 km hacia el este, en torno a hora y media de viaje, y hasta Ketmen hay que contar con otras 4-5h más de viaje por carretera, a través del parque nacional de Charyn. En ambos casos, los últimos kilómetros hasta calzar esquís se han de hacer en 4x4 y habitualmente por zonas con mucha nieve.

Agencias y logística

El turismo de esquí no está muy desarrollado en Kazajistán, pero una búsqueda rápida en Internet permite encontrar al menos un par de agencias locales. Ambas proponen packs similares con precios y servicios prácticamente idénticos, que incluyen tanto traslados, servicios de guía y estancia en pensión completa durante todo el viaje. En cualquier caso, comparten entre ellas tanto los guías y conductores como los sitios de operación.

Alojamiento

Debido al aislamiento tanto de la yurta como de la cabaña, no debemos esperar grandes comodidades, pero es parte de la magia del viaje. La yurta tiene espacio para 8 personas, y hay que mantener la estufa en funcionamiento para que la temperatura se mantenga agradable. La luz viene de unas baterías solares, con lo cual limitada a la hora de la cena.

La cabaña era algo más cómoda, con dos grandes habitaciones y estancia comedor. Además, la presencia de Indira y su equipo, que preparaban la comida y mantenían la estufa encendida todo el día, hicieron de la estancia una maravilla. Los servicios consistían en letrinas, pero en ambos casos podremos contar con saunas, o banya, donde ducharse y asearse cada día. En Almaty hay opciones de alojamiento de todo tipo, desde hostales a buen precio hasta grandes hoteles a precios europeos.

Mejor época para esquiar

La temporada de esquí en Kazajistán es muy larga, desde diciembre hasta el final de la primavera. En pleno invierno encontraremos temperaturas más frías y mejores condiciones de nieve, aunque menos espesor. Las nevadas son más esporádicas y traen espesores de 20-30 cm, pero las condiciones anticiclónicas implican temperaturas que descienden hasta los -20ºC o incluso -30ºC en pleno invierno. Si lo que se busca es acceder a la alta montaña (por encima de 3000m), se debe esperar a la primavera, aunque las condiciones son algo más variables e inestables.

Esquiando sobre "azúcar"

El tipo de nieve que encontramos en Ketmen Ridge nos sorprendió: es diferente del que estamos acostumbrados en los Alpes. Debido al clima seco, el manto nivoso no es muy espeso, y las bajas temperaturas provocan un gradiente térmico elevado entre el suelo y el aire. Esto crea grandes granos de nieve, conocidos como cubiletes, que son angulosos y con poca cohesión. En Europa, estos cubiletes suelen aparecer al inicio del invierno en zonas frías, pero aquí abarcan todo el manto, desde la superficie hasta el suelo. Esquiar sobre 80 cm de cubiletes cambia la técnica, y es necesario tener precaución, ya que las avalanchas pueden ser grandes.

Material recomendado

Si se viaja en invierno, se debe ir preparado para temperaturas muy frías, de -20ºC o menores. Un buen termo que llenar cada día con té no debería faltar en nuestra mochila. Las pieles de foca pueden llegar a congelarse con facilidad, así que un segundo juego no está de más en la mochila. Así mismo, alguna herramienta para reparaciones simples o incluso algo de material por duplicado no está de más, pues no es fácil encontrar tiendas de montaña en las que buscarle solución a algo que se rompa.

Sobre las travesías

En ambos sectores en los que esquiamos las actividades eran similares, progresión en estrella alrededor de la yurta o cabaña. Los desniveles no son grandes, entre 400 y 800 metros, que repetíamos varias veces al día. Se avanza siempre por altitudes entre 1600 y 3000 m, generalmente por bosques o praderas y fondos de valle más abiertos. Los itinerarios escogidos por nuestro guía se fueron adaptando a las condiciones y al nivel del grupo, pero podemos encontrar para todos los niveles de esquí, especialmente en invierno. Pese a no ser obligatorio, conviene contratar un buen seguro de rescate en montaña que cubra rescates en helicóptero en el extranjero. // **Alvaro ROBLEDANO**

La práctica del esquí de montaña lleva al cuerpo a situaciones de calor y sudoración en las subidas, combinado con frío en los descensos y en las paradas. Acertar con las prendas que cubran unas necesidades tan extremas no es fácil. Profundizamos aquí en aspectos como la composición de los tejidos y la función de las distintas capas para que puedas escoger con conocimiento.

Prendas EFICACES
para skimo

Confort térmico en condiciones extremas

Escoger prendas que aporten un buen aislamiento, reteniendo el calor corporal, pero que a la vez sean eficaces en la evacuación del sudor y el secado rápido, es fundamental en la vestimenta para esquí de montaña.

COL. ODLO

ANTES de entrar en la materia, vamos a recordar los conceptos básicos de la termorregulación. El cuerpo humano tiene una capacidad limitada para autorregularse térmicamente cuando las condiciones externas no son favorables. Recordemos que somos primates provenientes de climas cálidos, lo que nos hace dependientes de la ropa para retener el calor en ambientes fríos. Aunque nuestro organismo responde al calor sudando, es menos eficaz frente al frío. Las respuestas naturales, como el temblor o la piloerección (erizamiento del vello), son mecanismos más sintomáticos que soluciones reales para mantenernos en temperatura óptima.

La ropa durante la actividad deportiva en entornos fríos no solo debe aislarnos, sino también cumplir una función crucial: gestionar la humedad, particularmente el sudor. En alta montaña, la acumulación de humedad en el cuerpo o la ropa puede aumentar el riesgo de hipotermia, especialmente a temperaturas bajo cero.

Aunque pueda parecer contraintuitivo, sudar en climas fríos es habitual en actividades intensas como el esquí de travesía. Nos encontramos en un entorno hostil, extremadamente frío, pero a la vez realizando un esfuerzo físico elevado. Aquí es donde entra en juego la importancia de la vesti-menta técnica: debemos permitir que el sudor se evapore para evitar que la humedad enfríe el cuerpo, lo que podría derivar en una peligrosa hipotermia. Así, nuestra ropa debe cumplir una doble función: gestionar la refrigeración que genera el sudor sin exponer al cuerpo a las bajas temperaturas.

Cómo optimizar la elección de prendas para skimo

La elección ideal de prendas es aquella que refuerza la termorregulación natural del cuerpo. Es decir, prendas que permiten retener algo de humedad cuando estamos en movimiento (calor) y que se secan rápidamente cuando nos detenemos (frío). Esto se logra combinando materiales, grosores y accesorios, como cremalleras de ventilación de forma adecuada.

Es fundamental tener en cuenta que no existe una "prenda universal". La elección de la ropa debe adaptarse a la actividad, las condiciones meteorológicas y las características individuales, como la sudoración o la tolerancia al frío. No vestiremos del mismo modo para una cronoescalada de esquí en primavera que para una tranquila travesía familiar bajo la nieve.

Es probable que ya estés familiarizado con el concepto del sistema de capas. Sin embargo, vamos a profundizar en los detalles que realmente marcan la diferencia al seleccionar prendas óptimas para el esquí de travesía. Pero antes, recordemos brevemente en qué consiste este sistema:

El sistema de capas es la clave para gestionar el confort térmico durante actividades de montaña. La combinación adecuada de prendas permite que el cuerpo mantenga una temperatura estable sin sudar en exceso ni pasar frío. Este sistema se basa en tres capas fundamentales:

COL. XBIONIC

STEFANO GEANTET/MILLET

• **Primera capa:** prendas siempre transpirables y ocasionalmente térmicas, como camisetas y mallas, que están en contacto directo con la piel.

• **Segunda capa:** prendas siempre transpirables y térmicas, aunque en las piernas se evita un exceso de abrigo en actividades aeróbicas. Aquí entran los forros polares, chaquetas térmicas o prendas de power stretch.

• **Tercera capa:** prendas siempre impermeables, cortavientos y razonablemente transpirables. Incluye chaquetas y pantalones con membranas protectoras.

Así pues, tendremos que combinar tres tipos de prenda adecuándolos a la actividad (esfuerzo, intensidad, ritmo, duración…), las condiciones meteorológicas (temperatura, lluvia, viento…) y las propias capacidades personales (sudoración, tolerancia al frío o al calor, estado de agotamiento…).

PRIMERAS CAPAS:
el contacto directo con la piel

La primera capa es la que está en contacto directo con la piel y tiene la función principal de evacuar la humedad. Aquí es fundamental evitar materiales como el algodón, que absorben el sudor y tardan en secarse, lo que aumenta el riesgo de hipotermia.

Las mejores opciones para las primeras capas incluyen poliéster y lana merina. Ambos materiales son altamente transpirables y permiten mantener la piel seca:

• **Poliéster:** es el material predominante en la ropa deportiva por su bajo peso, bajo precio y excelente capacidad para gestionar la humedad. Actualmente, muchos fabricantes optan por el poliéster reciclado en sus colecciones, lo que también responde a preocupaciones ambientales. Las mejoras en la producción han eliminado problemas clásicos, como la acumulación de olores o el tacto áspero.

• **Lana merina:** aunque había perdido terreno frente a las fibras sintéticas, la lana merina ha resurgido como una opción de alta gama. Es naturalmente antibacteriana, lo que evita los malos olores, y tiene la capacidad de retener brevemente la humedad antes de secarse, favoreciendo un control térmico óptimo. Además, su tacto es extremadamente cómodo.

SEGUNDAS CAPAS:
aislamiento y versatilidad

La segunda capa tiene la misión crítica de proporcionar el aislamiento térmico necesario para mantener el calor corporal, sin sacrificar la transpirabilidad. En este nivel, el objetivo es retener el calor generado por el cuerpo durante la actividad fí-

Como vemos en las imágenes de la izquierda, la primera capa -que va en contacto con la piel- suele ser una prenda térmica que tenga buena transpirabilidad. Al estar en movimiento, son frecuentes las segundas capas versátiles (foto arriba). Y la tercera capa puede ser una *hardshell* ("capa dura") que aporte impermeabilidad, sin dejar de ser transpirable, como la chaqueta que lleva Alberto Iñurrategi en la imagen de abajo.

COL. TERNUA

La importancia de los complementos

A menudo, la atención se centra en las chaquetas y los pantalones, pero los complementos también juegan un papel fundamental en la protección contra el frío. Algunos elementos esenciales incluyen:

• **Gorros técnicos:** un buen gorro térmico y transpirable puede marcar una gran diferencia en la conservación del calor. Dado que gran parte del calor corporal se pierde a través de la cabeza, un gorro adecuado es fundamental. No ocupan y no pesan, pero nos pueden salvar el día.

• **Guantes de calidad:** los guantes no solo deben ser térmicos, sino también impermeables y transpirables. Mientras esquiamos, las manos están en constante acto de prensión de la empuñadura del bastón, por lo que es esencial que los guantes permitan la evacuación del sudor sin perder capacidad de aislamiento.

• **Calcetines técnicos:** unos buenos calcetines pueden ayudar a evitar que los pies se enfríen o se humedezcan. Los calcetines de lana merina o una mezcla de poliéster y elastano son excelentes opciones para mantener los pies secos y calientes. No busques unos demasiado gruesos, céntrate en su capacidad térmica y su transpirabilidad, así como en sus refuerzos y que no se muevan dentro del botín interior.

• **Manta de rescate:** este complemento, aunque no es una prenda, es vital en situaciones de emergencia. Las mantas térmicas reflejan el calor corporal y pueden ser una herramienta crucial para prevenir la hipotermia en situaciones imprevistas.

Por mucho que llevemos una tercera capa impermeable y transpirable, si las prendas interiores no acompañan, no lograremos el objetivo de mantener el confort climático. El rendimiento lo define el conjunto del sistema de capas, así como las materias primas.

sica, evitando que se pierda, pero al mismo tiempo, asegurando que el sudor pueda seguir evaporándose sin acumularse:

• **Fibras de poliéster:** utilizadas en forros polares y chaquetas, las fibras huecas de poliéster son excelentes para retener el calor generado por el cuerpo. Aunque no alcanzan el nivel de aislamiento del plumón, son más duraderas, resistentes a la compresión (ideal para el uso con mochilas o arneses) y más económicas.

• **Plumón:** el plumón natural sigue siendo insuperable en cuanto a capacidad de aislamiento, ligereza y compactibilidad. Sin embargo, presenta inconvenientes como su mala gestión de la humedad y la necesidad de un mantenimiento cuidadoso. Las marcas han mejorado los tratamientos del plumón para abordar estos problemas, y su uso sigue siendo muy valorado en condiciones de frío extremo.

TERCERAS CAPAS: impermeabilidad y transpirabilidad

La tercera capa es el escudo que nos protege de los elementos más agresivos de la montaña: la lluvia, la nieve, el viento y el frío extremo. Su función principal es impermeabilizar y cortar el viento sin impedir que el sudor se evapore, permitiendo que el cuerpo se mantenga seco por dentro y protegido por fuera.

Las prendas de tercera capa necesitan conjugar impermeabilidad y transpirabilidad, una combinación difícil de lograr, pero esencial en actividades de montaña. Las membranas más comunes son el teflón (PTFE), utilizado en productos como Gore-Tex y eVent, y el poliuretano (PU), empleado por muchas otras marcas. También hay opciones más modernas de polietileno (PE), que ofrecen un equilibrio entre ambas características, adaptando la membrana al tejido para maximizar su eficiencia.

A veces empleamos tejidos de softshell como una combinación de segunda y tercera capa en una sola prenda, siendo muy útiles para el descenso donde además de abrigar tienen función cortavientos e impermeable, pero tienen sus limitaciones cuando estamos foqueando porque tienden a dar demasiado calor durante el ejercicio.

COL. HEAD

COL. DYNAFIT

En definitiva, el secreto de una experiencia óptima en la nieve está en la combinación de capas, materiales de calidad y la elección adecuada de complementos. Esto te permitirá disfrutar del esquí de travesía de manera segura, cómoda y eficiente.

Otros materiales en el textil de esquí de travesía

• **La poliamida**, también conocida como nailon, es otro material muy utilizado en la ropa de montaña debido a su resistencia y durabilidad. Este polímero se emplea frecuentemente en las segundas y terceras capas, especialmente en chaquetas y pantalones que necesitan resistir el desgaste, la fricción y las inclemencias del tiempo.

La poliamida es conocida por ser resistente a desgarros y abrasiones, lo que la hace ideal para prendas que estarán en contacto con superficies rugosas o que necesitan soportar cargas como mochilas o arneses.

• **El elastano**, también conocido por sus nombres comerciales Spandex o Lycra, se utiliza en muchas prendas técnicas por su gran elasticidad. Este material permite que la ropa se ajuste perfectamente al cuerpo, facilitando la movilidad sin restricciones. Su capacidad de estirarse y recuperar su

COL. KARPOS

forma original lo hace ideal para prendas de alto rendimiento, como mallas, camisetas ajustadas y chaquetas de softshell.

El elastano se mezcla con otros materiales para darles mayor flexibilidad, lo que es esencial en actividades como el esquí de travesía, donde la libertad de movimiento es fundamental.

• **El acrílico** es una fibra sintética que se utiliza en algunas prendas térmicas debido a su capacidad para imitar las propiedades de la lana, pero a un costo mucho más bajo. Es ligero, suave al tacto y ofrece un buen aislamiento térmico, aunque no tiene las mismas propiedades de regulación de la humedad que la lana merina o el poliéster.

Una de las desventajas del acrílico es que, al ser una fibra sintética, tiende a retener más los olores y no es tan transpirable como otras alternativas. Sin embargo, sigue siendo una opción asequible para quienes buscan prendas térmicas que ofrezcan un buen aislamiento.

Cómo optimizar la elección de prendas para skimo

En el textil invernal existen algunos estándares a los que se acogen voluntariamente las mejores marcas y que garantizan la sostenibilidad de la producción en varios aspectos. Esto es particularmente interesante en el textil y calzado de invierno, donde se mantiene la utilización de material de origen animal como pluma, lana o cuero y donde productos químicos nocivos para el medio ambiente pueden desprenderse de los tratamientos

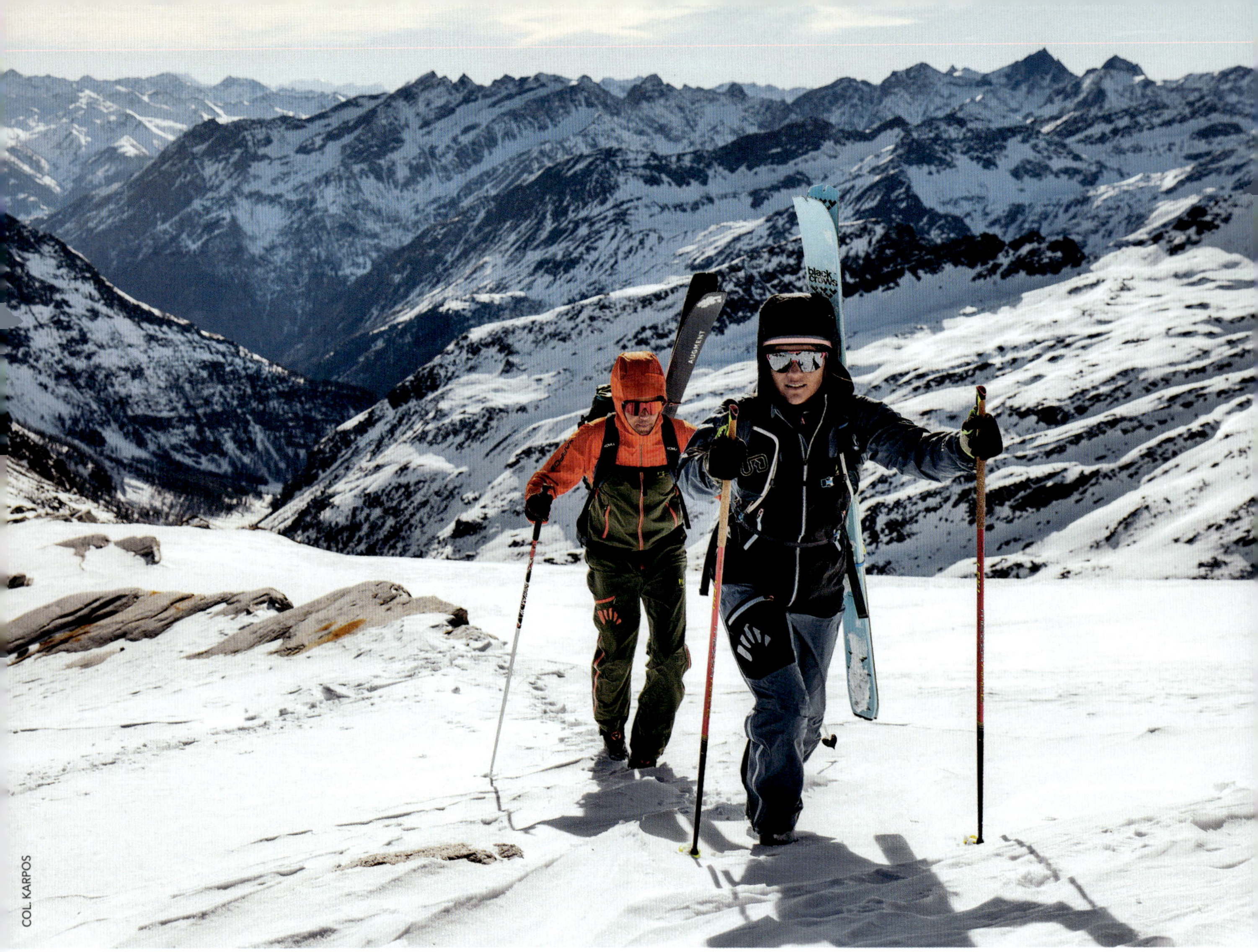

COL KARPOS

A la hora de escoger unas prendas sobre otras entran muchos factores en juego; uno de los principales debería ser su durabilidad, que es un elemento clave para la sostenibilidad del planeta.

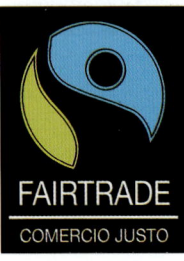

aplicados a la ropa impermeable. Vamos a repasar algunas de los estándares existentes y seguidos por muchas de las marcas de montaña:

1. Protocolos que garantizan el bienestar animal

El uso de materiales de origen animal en textiles de montaña, como la pluma y la lana, requiere certificaciones que aseguren su obtención ética. El Responsible Down Standard (RDS) garantiza que la pluma se recolecta sin crueldad, evitando prácticas como el desplume en vivo. Por su parte, el Responsible Wool Standard (RWS) certifica que la lana proviene de ovejas tratadas responsablemente, priorizando su bienestar y una gestión sostenible de las tierras donde pastorean.

2. Estándares para evitar la contaminación

La industria textil genera un impacto ambiental considerable y, aunque en el textil de montaña se toman grandes precauciones, hay que tener cuidado con el uso de productos químicos utilizados en la impermeabilización (DWR) o en el tintado, así como recursos empleados en los procesos de fabricación. Certificaciones

como Bluesign controlan estrictamente el uso de sustancias químicas para reducir contaminantes y asegurar una producción más limpia. Además, el Índice Higg evalúa el impacto ambiental de los materiales, como el cuero, ayudando a las marcas a elegir opciones más sostenibles. Las normas ISO, como la ISO 14001, también ayudan a las empresas a gestionar sus procesos con un enfoque ambiental responsable.

3. Comercio justo y condiciones laborales adecuadas

El Comercio Justo desarrollado por programas como Fair Trade asegura que los textiles para actividades de montaña se produzcan bajo condiciones laborales éticas. Esto incluye salarios justos e iguales entre hombres y mujeres, entornos de trabajo seguros y derechos laborales básicos como jornadas laborales asumibles y el derecho de sindicación, especialmente en países en desarrollo. La ISO 26000 también promueve la responsabilidad social en las empresas, enfocándose en la ética y las condiciones laborales justas dentro de la cadena de producción.

Redacción DESNIVEL

READY TO TAKE OFF
RIDGE SYSTEM

Para cualquier esquiador o esquiadora de montaña, foquear deslizando los esquís rodeados de los espectaculares paisajes y cumbres de la Patagonia y la Tierra del Fuego, en el extremo sur de la cordillera andina, es un sueño… ¡Vamos a hacerlo realidad!

ANDES CHILENOS Y ARGENTINOS
Esquí de montaña
en Patagonia y Tierra del Fuego

El esquí en la Tierra del Fuego nos regala unas vistas inigualables. En la imagen, ascendiendo al cerro Bridges, con la ciudad de Ushuaia y el canal de Beagle (que une el Pacífico y el Atlántico) al fondo.

JUNTO a mi amigo, vecino pirenaico y buen esquiador Javier Pelegay, preparamos meticulosamente el viaje y la información necesaria para acometer, solos, las ascensiones a estas lejanas montañas. "Ir a tu aire" exige experiencia en esquí de montaña, información previa sobre los itinerarios, interpretación de modelos meteorológicos y una correcta evaluación del riesgo de aludes. Si no controlas todos estos aspectos del esquí-alpinismo, es mejor contratar un guía.

Las rutas propuestas aquí son ascensiones clásicas de esquí de montaña de nivel físico y técnico medio, se realizan cómodamente en una jornada, pudiendo acceder ligeros de peso, a cumbres y collados con las pieles en nuestros esquís desde la base. También, con menor exigencia, podríamos acortar en algunos casos el recorrido, con remontes hasta finales del invierno austral (fin de septiembre). Podéis extender, combinar o complicar algunos itinerarios, a voluntad.

CHILE
Volcanes en la Región de Los Lagos

• **Volcán Casablanca.** Desde San Carlos de Bariloche, en Argentina, nos dirigimos hacia la frontera de Chile por el paso Cardenal Samoré (verificar apertura invernal). En ambas fronteras, soportaremos largos y tediosos trámites aduaneros. Hay que llegar a Antillanca (centro de esqui alpino en la base del volcán Casablanca) con el tiempo suficiente para acometer la

SEBASTIAN BELTRAME

ascensión con garantías al volcán. Ascenso y descenso por el cráter de Rayhuén o aprovechando remontes mecánicos, por el suave relieve del Cordón del Casablanca al noroeste. Desde las laderas del volcán Casablanca observamos otros volcanes chilenos alrededor, como Osorno, Puntiagudo, Puyehué y Sarnoso. Zona de vistas extraordinarias.

• **Volcán Osorno.** Un objetivo muy interesante en esta zona volcánica de Chile es el perfecto volcán Osorno. Esta esbelta cumbre la podremos acariciar, si nos lo permiten las condiciones meteorológicas, desde el centro de esquí y montaña Volcán Osorno, ascendiendo por su cara suroeste y alcanzando la cumbre por la ladera oeste. Este volcán puede volverse muy traicionero, por efecto del hielo y el fuerte viento en la notoria inclinación del cono volcánico final.

JULIO VIÑUALES

Arriba, la silueta del volcán Casablanca, en la Región de los Lagos. En grande, en la zona del Paso de Garibaldi, que ofrece distintas opciones de cumbres y collados tanto al norte como al oeste o sur.

En estas latitudes patagónicas, las precipitaciones avanzan rápidamente desde el Pacífico, descargando con mayor intensidad en territorio chileno (al oeste de la cordillera) y la parte argentina (al este) disfruta de mayores horas de sol.

• **Alternativas cercanas** a estos dos volcanes en esta preciosa zona andina, podrían ser el volcán Puyehué y el más difícil y esbelto volcán Puntiagudo (sin llegar a cumbre).

ARGENTINA
Villa la Angostura. Neuquén
• **Cerro Mermoud / Inacayal.** Cerca de la bella localidad argentina de Villa La Angostura, disfrutamos del famoso Cerro Bayo para ir a "randonear" (como le dicen aquí). Desde su base hay que ascender hasta su cumbre. Después, pasando por el

cerro Beecker, continuamos hasta el cerro Mermoud o falso Inacayal. Incluso el propio cerro Inacayal, resulta bastante accesible desde aquí. Las vistas desde estas cumbres resultan espectaculares. Al sur, el cerro Tronador y al norte, un solitario circo con el filo y cerro Delvedere.

• **Alternativas cercanas,** tenemos, desde la misma línea fronteriza del paso Cardenal Samoré (entre ambas aduanas) la ascensión o bien al cerro Pantojo al sur o al cerro Mirador al norte.

ARGENTINA
Bariloche. Río Negro
• **Cerro Goye.** Un bonito objetivo en San Carlos de Bariloche es el cerro Goye. Montaña modesta, accesible y cercana, que acometemos por su cara noreste, hacia una pala preciosa a través de un bos-

que de lengas. Excelentes vistas, pero con un porteo necesario con cota de nieve alta. Será preferible realizarla en invierno con nieve en cotas bajas, ya que avanzada la temporada es un sufrimiento, tanto el porteo como el descenso en nieve primavera o podrida por la exposición solar.

• **Alternativa cercana** algo más larga, sería el cerro López o pico Turista, a través del refugio López desde las cercanías de Colonia Suiza.

• **Cerro Catedral.** Buena estación para esquiar en sus pistas (los menos alpinistas) o como paso hacia otros lugares de alta montaña andina como el refugio Frey. Los argentinos consideran a Cerro Catedral como la mejor estación de esquí alpino, la más grande, cara y mejor equipada de toda Sudamérica. Cerro Catedral posee unas vistas

excelentes de la cordillera andina y el lago Nahuel Huapi. Aprovechando su entorno accedemos a lugares fantásticos, como el collado del Viento, que es uno de los que da acceso al valle de Van Titter y desde donde podremos llegar hasta el famoso refugio Frey. Desde este refugio, se realizan ascensiones hacia las extraordinarias torres de granito de su entorno. En sus cercanías, observamos líneas de descenso en diversas pendientes y corredores, realizadas, sin duda, por esquiadores de mucho nivel. Sobre Cerro Catedral se alzan la punta Princesa, un bonito circo, un collado en los dientes de Punta Princesa, Catedral Norte y Diente

de Caballo. También podríamos acercarnos hacia otro collado cerca de La Lagunita, pero su nombre no invita a visitarlo (portillo de Los Paralíticos).

• **Alternativas cercanas** en Bariloche tenemos el cerro Challhuaco desde refugio Neumeyer y el más complicado rey de la zona, el cerro Tronador, llamado así por el ruido de sus avalanchas.

ARGENTINA
Ushuaia. Tierra del Fuego

Tierra del Fuego, nombre otorgado por los exploradores al observar las numerosas

fogatas encendidas por los Yámanas, habitantes originarios de esas tierras.

En Ushuaia se nota la latitud y advertiremos, normalmente, tanto un tiempo como un clima diferente al de Bariloche y, como cabe esperar, las condiciones de la nieve también serán diferentes.

Ushuaia (82.000 habitantes) considerada la ciudad más meridional del mundo, ubicada a casi 55° latitud Sur. Los chilenos no están de acuerdo con esto, ya que muy cerca, al otro lado del Canal de Beagle, encontramos la chilena Puerto Williams, a la que los argentinos no consideran ciudad sino una pequeña población (2.000 habi-

JULIO VIÑUALES

FOTOS: SEBASTIÁN BELTRAME

lantes). En cualquier caso, son las poblaciones más australes del planeta.

Ushuaia es una urbe peculiar en cuanto a urbanismo, al igual que San Carlos de Bariloche, ya que han sufrido un crecimiento demográfico muy rápido en poco tiempo. Bariloche ha multiplicado por tres su población en 40 años y Ushuaia la ha multiplicado por siete, en ese periodo.

• **Paso Garibaldi.** Una buena y diversa zona esquiable en Tierra del Fuego es el valle del Paso de Garibaldi. Desde el mirador del lago Escondido, deslizar tranquilamente nuestras pieles de foca por la mar-

gen izquierda del valle del Rio Llambre, sin pérdida, hacia el noroeste, hasta llegar al fondo de un circo de cumbres innominadas. Aquí podemos optar por subir a diferentes cumbres y collados tanto al norte como al oeste o sur. Accediendo al norte observamos un valle que acaba en el lago Escondido. Volvemos siempre por un divertido itinerario atravesando en su parte baja, un bosque de pequeños árboles hasta la única carretera que comunica Ushuaia con el resto del mundo. (RA 3)

• **Las alternativas** en Paso Garibaldi son diversas. Generalmente accesibles y fáciles con buenas condiciones y que pueden ser

Arriba, vistas del Inacayal y el Belvedere desde Cerro Mermoud, cerca de la bella localidad de Villa La Angostura, ubicada en la provincia argentina de Neuquén.
Sobre estas líneas y a la izquierda, ascendiendo diversas cumbres en Paso Garibaldi, en la Tierra del Fuego, con el valle y el lago Fagnano al fondo. Esta región ofrece el esquí de montaña más austral del planeta (salvo si vas a la Antártida).

FOTOS: JULIO VIÑUALES

SEBASTIÁN BELTRAME

Arriba, ascensión al cerro Goye, una montaña amable y fácilmente accesible desde Bariloche (Argentina); y vista aérea del bosque nevado, buscando el itinerario en el valle de Olum, una zona fueguina que está algo más resguardada de las condiciones imperantes del extremo sur andino, es decir, del viento patagónico y el frío intenso. A la derecha, disfrutando del descenso en la zona de Paso Garibaldi.

encadenadas o combinadas con otras de los valles contiguos. Es un valle con un esquí en general fácil, pero nunca hay que fiarse con malas condiciones meteorológicas.

• **Cerro Castor.** Según indica su publicidad, Cerro Castor es la estación de esquí más austral del mundo (aquí todo es el fin del mundo), aunque esa disputa, una vez más, es relativa como veremos después.

Ascendemos según voluntad, hasta lo más alto de Cerro Castor y buscaremos un itinerario a la espalda de la estación, hacia cerro Krund y posteriormente a sus cumbres satélites al norte. Un paseo de altura, pero ojo a algunas laderas de notoria inclinación cercanas.

De vuelta, podemos ascender brevemente desde el puesto más alto de soco-

rro de la estación, por la ancha arista este/sureste para acceder a las pistas balizadas por fuerte, pero franca pendiente al sur (35°)

Esta famosa estación invernal (tiene esquí alpino y nórdico) está bien preparada y habitualmente acoge a numerosos equipos internacionales de esquí alpino, que vienen aquí para entrenar en nuestra temporada de verano.

• **Alternativa** cerca de Cerro Castor podría ser desde Tierra Mayor, un centro de esquí nórdico y otras actividades y donde podremos optar por ascender hacia el cerro Alvear y el cordal de Toribio al norte. Itinerarios más complejos.

• **Valle De Olum.** Este valle orientado al soleado norte, está algo más resguardado

de las condiciones imperantes del extremo sur andino, es decir, del viento patagónico y el frío intenso. Además su bosque de la parte inferior del valle, casi nos pueden garantizar el poder sacar las focas a pasear, por este tranquilo valle fueguino. Ascendemos desde Valle de Lobos hacia el sur, atravesando el bosque y una vez fuera de él, observaremos una laguna helada. Continuamos hasta el fondo del valle en dirección al cerro de los Cinco Hermanos (parece un circo cerrado). Aquí tenemos dos alternativas, a la izquierda nos conduciría hacia el collado y filo de los Cinco Hermanos, y a la derecha, en dirección O/NO a través de un lomo de nieve sobre paredes (no visible desde abajo), llegamos a Pompilandia y un collado que vemos muy cerca. Si la visibilidad no es adecuada, será el lugar

para darse la vuelta, ya que sin relieve, en este o en cualquier otro valle, es fácil perder la ruta de descenso y cometer errores aún a pesar de tener muchos años de experiencia. Debemos recordar que Patagonia o Tierra del Fuego no es España o Europa, con servicios de rescate en montaña a golpe de teléfono.

En Pompilandia podremos acceder hasta cerro Carbajal (encima de Laguna Turquesa) o quizás acercarnos a avistar el famoso y hermoso Monte Olivia.

• **Como alternativa** en días de mal tiempo propongo dedicar una mañana a una disciplina fundamental para todo aquel que quiera considerarse un buen y completo esquiador, aunque lamentablemente se practica y promociona muy poco en nuestro país, como es el esquí nórdico o de

fondo. Aprovechar la huella marcada en Cerro Castor o también en el centro invernal de Tierra Mayor. Normalmente cierran en Octubre. Curiosamente es el esquí nórdico más austral.

• **Cerro Martial.** La ascensión al glaciar Martial es la más clásica y repetida de Ushuaia. Esquí con vistas al océano. Imprescindible.

El glaciar Louis Martial se sitúa sobre la población y es rápidamente accesible. Se divide en tres glaciares, glaciar de la Virgen, glaciar del Medio y glaciar Murciélago.

Desde Ushuaia, al final de la carretera de acceso, se encuentra el Centro de Montaña del Glaciar Martial, con servicios y pequeñas edificaciones muy bien integradas en la montaña.

JAVIER PELEGAY

• En montaña invernal todo dependerá, casi siempre, de la meteorología y las condiciones que encontremos al llegar a ella, pero también de las producidas en los días anteriores.

• En el hemisferio sur, además del cambio estacional que casi todo el mundo conoce, también se invierte la incidencia solar sobre las montañas. Allí, la cara norte será soleada y la cara sur umbría.

• Para comprender adecuadamente los modelos meteorológicos en los mapas, los anticiclones y borrascas giran en sentido inverso a como lo hacen en el hemisferio norte, así pues, anticiclones giran en sentido anti-horario y borrascas giran en sentido horario. Es importante saber interpretar correctamente los vientos en los mapas meteorológicos, sobre todo en la zona más austral, ya que nos acercan masas de precipitaciones y vientos antárticos de manera diferente.

• En el extremo sur andino la circulación general atmosférica sigue el patrón oeste-este.

• Las condiciones meteorológicas y de nieve suelen ser cambiantes, sobre todo en Chile y, por supuesto, cerca de las costas. El frecuente viento patagónico, de componente oeste y más acentuado en Tierra del Fuego, provoca condiciones variables de nieve, así pues las nieves duras, venteadas, acartonadas o costra directamente, pueden ser habituales.

• En los volcanes de Chile, además de las mayores precipitaciones, estas se alternan con fuertes vientos que azotan las solitarias cumbres volcánicas y nos pueden hacer renunciar a la cima, ya que la nieve se endurece sobre un cono volcánico de importante inclinación.

• El esquí de montaña en Patagonia y Tierra del Fuego es algo diferente. Además de los cambios meteorológicos frecuentes, las distancias y altitudes parecen multiplicarse, e insisto, no existen los medios de rescate como en nuestro país. Así pues, la prudencia es obligatoria.

• Septiembre y octubre pueden ser meses de nieve estable y excelente, incluso noviembre, para los volcanes chilenos. Los centros invernales no suelen abrir más allá del 1º de octubre.

• En Argentina o Chile, el esquí, es un deporte más elitista y caro, tanto en materiales como en instalaciones, que en Europa. El esquí de montaña, aunque más practicado cada día, aún es muy minoritario, igual que en Europa.

• En la naturaleza salvaje de las montañas de Patagonia y Tierra del Fuego, encontrarás gente generalmente respetuosa y amable a la hora del trato personal y por supuesto, de informarte sobre el terreno, del mejor itinerario a seguir. Supongo que esto será algo diferente en las grandes urbes.

• Los Andes es una cordillera de grandísimas dimensiones en la que ascender montañas en solitario, es la norma en muchos lugares. Esta soledad de las cumbres tiene un valor extraordinario.

• Algunos tramos de carreteras, calles, accesos urbanos o aparcamientos, son caminos de ripio (sin asfaltar). Incluso en centros invernales y poblaciones muy turísticas.

• Viajar con Aerolíneas Argentinas hasta Buenos Aires y vuelos internos (San Carlos de Bariloche y Ushuaia) con Aerolíneas Argentinas o JetSmart. Desconfiar de Flybondi.

• Alquilar un coche para vuestra autonomía. Aunque son, en general, pequeños y caros.

• En Argentina conviene pagar con tarjeta extranjera (débito o crédito) para beneficiaros de un cambio mucho más favorable que el oficial. No sacar dinero de los cajeros con tarjeta y olvidaros de llevar un fajo de billetes, aunque todavía en algunos lugares no admiten tarjeta, por ello, una pequeña cantidad en efectivo es recomendable. Dólar blue, dólar mep, mercado negro (cuevas) casi hay que hacer un curso de economía antes de llegar a un país con una inflación galopante como Argentina. Si te devuelven importes en pesos argentinos, te darán muchos billetes que se desvalorizan diariamente.

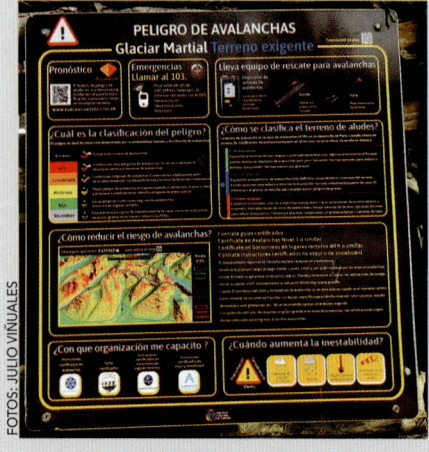

FOTOS: JULIO VIÑUALES

A la izquierda, señal de «peligro guanacos» en la carretera hacia el Cerro Torre y Fitz Roy, Patagonia argentina. Abajo, cartel informativo en el acceso a Glaciar Martial (izda), una cabaña en el entorno de este glaciar (dcha) y, en medio, los gendarmes rocosos de Bariloche. A la derecha, atardecer rojizo en el Monte Olivia, símbolo de Ushuaia.

• Rica gastronomía tanto en Chile como en Argentina, asados, cordero fueguino y otros muchos platos. Nosotros repetimos en Bariloche, en *Restaurante La Marmite* y en Ushuaia, en *El Bodegón Fueguino*.

MÁS INFORMACIÓN, MÉTEO Y MAPAS

Encontrar buena información sobre esquí de montaña en los Andes del sur no es fácil. Casi no existen guías editadas (excepto una centrada en el sector del refugio Frey en Bariloche). Hay pocos mapas específicos o libros. La información más precisa la obtuve a través de mi contacto en Ushuaia (gracias, Sebastián Beltrame). Lo más aconsejable siempre es preguntar a los locales.

Encontráis mapas en:
• *mapcarta.com* (mapas generales).
• *pixmap.org* (mapas sombreados de pendientes y otros).
• *skimoguide.com* (itinerarios de esquí de montaña).
• *wikiloc.com* (itinerarios de muy diferente valía informativa. En ocasiones información confusa, parcial o deficiente).
• *andeshandbook.org* (cumbres e itinerarios en los Andes).
• *argentina.gob.ar/seguridad/pasosinternacionales* (viabilidad invernal fronteriza).

En cuanto a las webs de predicción meteorológica, las más recomendables son:
• *meteored.com.ar/modelos* (modelos meteorológicos GFS y ECMWF).
• *windy.com* (info de vientos y meteo con mapas. Muy práctica para los volcanes).

SEBASTIÁN BELTRAME

Junto al parking existe un remonte por cable cerca del suelo, que casi pasa inadvertido. Es donde muchos niños de Ushuaia han dado sus primeros pasos sobre unos esquís. Esta sencilla instalación es pues el remonte público más austral del mundo y no puede (ni quiere) competir con Cerro Castor. También es la escuela de esquí (iniciación) más austral del mundo.

En el refugio Martial, vive mi contacto en Ushuaia, el guía de esquí de montaña y ex-olímpico argentino de Biathlon, Sebastián Beltrame. Es una institución en la zona y si necesitáis un guía por aquellas latitudes, sin duda, es vuestra referencia. Su familia es la propietaria de estas instalaciones de esquí tan coquetas como integradas en la montaña.

Partimos desde aquí, deslizando nuestros esquís por el evidente, cómodo y ancho camino/pista que se adentra en el valle. Seguimos por el fondo, hasta salir del bosque y llegar al pie de las laderas que alojan en su parte superior los distintos glaciares del Martial. Nos dirigimos hacia nuestra izquierda, hacia el glaciar de la Virgen. Situados bajo la zona glaciar, la ladera se acentúa y encontramos tres posibilidades de superar este resalte que da acceso al propio glaciar. A izquierda, una canal escondida tras una formación rocosa con 25° de inclinación. Enfrente una interesante canaleta de nieve con 38° y a la derecha, bordeando otro resalte de rocas, una loma de 30° que es lo más cercano a nuestra posición de ascenso. Continuamos hasta situarnos ya sobre el propio glaciar, que estará completa-

mente tapado. Aquí, el viento frecuente y la altitud se dejan notar. Estamos sobre un glaciar a 55° latitud Sur. Atravesar el glaciar hacia la izquierda (25°-30°) hasta asomarnos al collado, si el viento nos lo permite.

Las vistas de Ushuaia y el Canal de Beagle abajo son excelentes.

Para el descenso, si la corta canaleta central de 38° está esquiable, es nuestra primera opción. Retornaremos al parking del Martial, seguramente con nieve variable.

Considerar, que casi todas las laderas de la zona del cordón Martial, terminan alcanzando como poco, los 30° de inclinación.

• **Alternativas cercanas,** en Martial, serían el cerro Bridges al SW y el cerro Godoy al N.

OTROS LUGARES RECOMENDABLES

En Patagonia, fuera de la temporada veraniega y con vuelos internos asequibles, es recomendable visitar El Calafate y su entorno turístico del glaciar Perito Moreno, que es una maravilla natural.

Más interesante todavía, es viajar desde El Calafate, en un recorrido de 215 km sin poblaciones ni gasolineras, hasta la jovencísima El Chaltén (fundada en 1985), al pie de los majestuosos Cerro Torre y Fitz Roy. Impresionantes vistas del macizo, atravesando bosques de lengas y ñires, donde es posible observar al pájaro Carpintero Magallánico.

Julio VIÑUALES COBOS

SEGURIDAD

PLANIFICA BIEN TU RUTA Y COMPRENDE LOS BPA

La planificación de la actividad es el pilar básico

para poder valorar el riesgo de una actividad,

ya que es el momento en el que ponemos sobre la

mesa la dificultad técnica con las condiciones

reales de ese momento. En este artículo encontrarás

un decálogo para acertar en la planificación

de una ruta de esquí de montaña y las claves para

saber interpretar correctamente un

BPA (Boletín de Peligro de Avalanchas).

Es importante analizar el horario estimado que nos va a llevar una actividad para, si fuera necesario, comenzar antes de la salida del sol para encontrar las mejores condiciones en los tramos clave.

EL VERANO SE ACABÓ Y POCO A POCO EL otoño comienza a ser protagonista. Primeras mañanas frías, cambio del olor del monte. Al guardar el material de verano salen del armario plumas, cortavientos, guantes y las ganas de montaña invernal se instalan en mi corazón. Cierro los ojos y las sensaciones acuden rápido: el recuerdo del crujido de la nieve al abrir huella foqueando, la emoción de levitar cuando la bajada es buena, y esa vocecilla que a veces suena en mi cabeza diciendo "¿realmente era necesaria esta embarcada"? cuando las cosas no van tan bien como esperaba.

Un año más me repito a mí misma lo importante que es empezar poco a poco y con buen pie. Revisar el material, entrenar los meses antes, volver a leer libros técnicos y recordar conceptos, estar al tanto de las últimas novedades, hacer alguna que otra práctica de búsqueda con el DVA aunque sea en un campo abierto. En todos estos años trabajando en el mundo de la nieve y dando (y recibiendo) formación, siempre me ha llamado la atención la importancia que dan todos los alumnos al estudio de la nieve cuando nunca van a sacar una lupa. Sin embargo, apenas dedican un minuto a preparar bien la salida o a reflexionar durante el desarrollo de la actividad de los cambios y circunstancias que los rodean para saber si están tomando las decisiones más adecuadas. Para mí ese es el punto clave. El tipo de nieve o cómo esté no depende de nosotros, pero sí que afecta enormemente en el tipo de actividad que podemos hacer; y, por tanto, nuestra carta ganadora a la hora de volver a casa con la sonrisa en la cara y habiendo disfrutado, es realizar una correcta planificación de la actividad, observar lo que hay y lo que cambia a nuestro alrededor, y ser flexibles para poder tomar decisiones correctas si las circunstancias cambian.

Antes de salir: el decálogo

La planificación de la actividad es el pilar básico para poder valorar el riesgo, ya que es el momento en el que ponemos sobre la mesa la dificultad técnica de la actividad con las condiciones reales de ese momento. No todas las actividades se pueden hacer en cualquier momento, y por ello es el primer y fundamental paso en nuestra seguridad. Para mi es el primer paso, básico y fundamental, antes de cualquier actividad. Es equivalente a cuando planificas un viaje y empiezas a ver qué puedes hacer, dónde puedes ir, cuánto tiempo tienes, con quién vas a ir, qué metes en la maleta... Si no te vas a lo loco, con cualquiera, a hacer lo que sea en un viaje, no lo hagas tampoco en tu actividad de montaña.

Hace unos años leí una lista de puntos a considerar en un "lab" de seguridad en nieve y avalanchas que me encantó porque es fácil y clara. Son 10 cosas que tendremos que analizar a la hora de planificar la actividad:

1. Participantes: primer punto fundamental. ¿Quiénes vamos? ¿Cuántos vamos? ¿Todos los participantes son capaces de realizar la actividad porque tienen el nivel suficiente? Es importante saber si tenemos habilidades comparables, como nivel técnico de esquí, resistencia física, material de progreso, etc, ya que no es lo mismo ir con crampones, con tablas de esquí o con snowboard o raquetas tanto en el ascenso como en el descenso. Suena idílico e irreal pero lo mejor sería que todos tuviésemos una motivación similar para evitar problemas a la hora de gestionar el grupo y definir los roles.

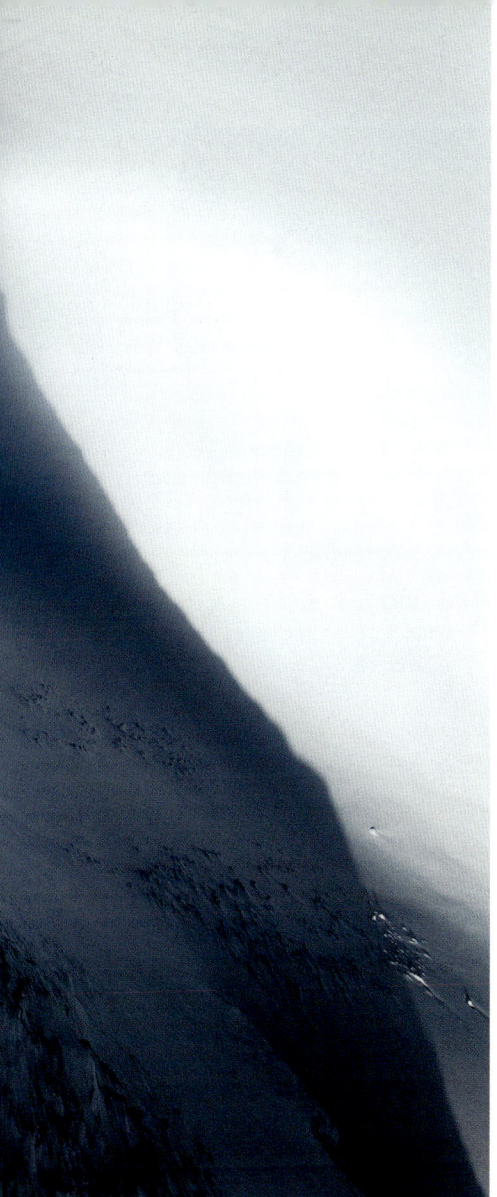

Ya sea en una salida por los Alpes (izquierda) o en una ruta por montañas cercanas como el Pirineo (abajo), una buena planificación de una ruta ha de incluir un "plan B" por si encontramos unas condiciones distintas a las esperadas, o peligros como cornisas inestables o exceso de nieve.

COL ROCÍO HURTADO

2. Boletín de peligro de avalanchas: El BPA es la base para planificar cualquier actividad. Proporciona información detallada sobre la estructura del manto, indica qué zonas son peligrosas (y por tanto deberemos evitar) y nos habla sobre la meteorología. El peligro de desencadenamiento de una avalancha depende de factores como la estabilidad del manto de nieve, la cantidad de zonas potencialmente peligrosas en el terreno y su distribución, la probabilidad de desencadenamiento teniendo en cuenta una carga adicional (¡nosotros al pasar!). Lo considero tan importante, que la última parte de este artículo incluyo un apartado profundizando en cómo interpretar correctamente este boletín.

3. Predicción meteorológica: Nos interesa mucho saber cómo ha sido la meteorología en la zona donde vamos a realizar la actividad en los últimos días. ¿Ha nevado, llovido, ha soplado el viento, ha habido una subida de temperaturas? ¿O quizá ha entrado un frente frío? Eso nos permitirá imaginar el tipo de nieve que encontraremos en superficie y como podrá ser la estructura del manto. Corroborará la información relativa a las avalan-

chas que hemos leído previamente en el boletín. Finalmente nos interesa la predicción meteorológica para el día concreto porque puede condicionar la salida: qué tipo de ropa y material debemos llevar, si tenemos una hora límite porque entra mal tiempo, si deberemos buscar una ruta en umbrías porque va a hacer calor y las solanas no estarán en buenas condiciones, etc. Además, si no ves nada, tampoco puedes valorar nada y eso no es bueno.

4. Selección de la actividad: En función de las condiciones y del grupo, ¿qué actividad es la más adecuada? En esa elección de actividad influyen también la meteorología, el grado de peligro del boletín y los problemas de avalanchas para ese día. Las preguntas que deben rondar nuestra cabeza son: ¿Hacemos una ruta de subir un pico y bajar o una ruta de collados? ¿Hacemos una ruta larga o una ruta corta? ¿Que tenga varias transiciones o subir y bajar?

5. Selección de la ruta concreta: ¿Dónde vamos exactamente? Todas las personas que participen en la actividad tiene que conocer la ruta, saber dónde van. Qué desnivel, qué longitud, qué pen-

dientes y orientaciones, cuáles son los pasos complicados, qué material obligatorio hay que llevar.

6. Puntos clave: Debemos ser capaces de identificar sobre el mapa aquellos puntos donde, una vez llegados en el terreno, podemos valorar las alternativas. Por ejemplo, si hay que pasar una zona de mucha pendiente tendremos que valorarlo una vez llegados allí, o si hay que pasar sobre un barranco, si hay una zona de piedras, si sabemos que es un punto donde normalmente la nieve está dura y se recomiendo subir con crampones. Sabiendo donde están esos puntos y teniéndolos convenientemente analizados, es difícil que luego las sorpresas nos pillen sin preparar. Aun así, siempre pasan cosas, de modo que cuanto menos margen le demos a Murphy, mejor.

7. Planificación del tiempo: ¿Cuánto tiempo vamos a necesitar para realizar esa actividad concreta, con ese grupo concreto, en esas condiciones previstas para ese día? No vale calcular el número total de horas, sino que debemos poner puntos de control intermedios. Esto nos va a ayudar a controlar cómo vamos, si estamos

FOTOS: COLECCIÓN ROCÍO HURTADO

Arriba, Rocío Hurtado, autora del artículo y experta en nivología y avalanchas, haciendo unas mediciones para comprobar el estado de la nieve, y revisando el imprescindible equipo de seguridad en la mochila. A la derecha, un esquiador desciende por la Canal de las Hoyuelas, en Gredos, junto a unos restos de avalancha.

cumpliendo el plan o si, por el contrario, es necesario acortarlo y dar media vuelta.

8. Material: Es el momento de pensar qué material debemos llevar con nosotros, tanto el material individual como el grupal. El equipo de autorrescate y el material de emergencia (botiquín) deberán ser controlados minuciosamente al inicio de la actividad. Quien no lo lleve, no viene. Habrá que valorar en esta fase si es necesario material adicional como arnés, piolet y crampones, cuerdas. Todo dependerá del tipo de actividad. Es importante que todos los miembros del grupo sean conocedores del material que hay que llevar, que luego vienen los disgustos porque "nadie me lo dijo".

9. Comunicación: ¿Todo el mundo conoce la actividad? ¿Los riesgos? ¿El material? ¿Los puntos peligrosos? ¿El tiempo y la dificultad? ¿Todos hemos leído el boletín? Hoy en día es fácil crear un grupo de whatsapp y mandar la información.

10. Revisión constante: Esta parte, más que pertenecer a la planificación, está ligada a la realización de la actividad, pero se vincula con la planificación porque implica observar en cada momento las condiciones, el terreno y el grupo y revisar si lo que habíamos planificado corresponde con lo que está ocurriendo, para poder ser flexibles y adaptarnos a la nueva situación. Aunque hayamos hecho una planificación perfecta, si el día amanece nevando cuando la previsión era de sol y moscas, habrá que tenerlo en cuenta y valorar si esa actividad resulta adecuada o es mejor ir al plan B.

Como punto adicional a esta lista yo añadiría un último consejo: ten un plan B y planifícalo. Ese plan B siempre va a ser menos ambicioso que el plan A, y te va a resultar más fácil desechar el plan A cuando las circunstancias no acompañen, si tienes el plan B a mano, seguro y sugerente. No tener un plan B o no haberlo planificado, es sinónimo de jugársela. Recuerda que has descartado el plan A porque le has visto las orejas al lobo, de modo que tu plan B tiene que ser el que te dé esa seguridad y paz mental.

CÓMO LEER UN BOLETÍN DE PELIGRO DE AVALANCHAS (BPA)
Llegan las primeras nieves y empezamos a recibir (afortunadamente) los correspondientes Boletines de Peligro de Avalanchas (o Aludes). Hemos de recordar la importancia que tiene consultar estos BPA para poder planificar nuestras rutas de esquí con seguridad.

Aunque la información principal (o la que primero leemos) es la escala de peligro (del 1 al 5), el BPA es mucho más que ese número. Aporta información adicional relativa al estado de la nieve como últimas precipitaciones, transporte por el viento, aludes observados, etc. Nos ofrece muchos datos que merece la pena leer y sobre todo comprender.

¿PELIGRO O RIESGO?
Aunque es un pequeño error de concepto (o, seguramente porque la palabra «riesgo» tiene menos

sílabas que «peligro») cuando escuchamos a montañeros o en las noticias que «el riesgo de aludes es 3», en realidad hablamos de peligro. El BPA no valora el riesgo. El riesgo lo asumimos cada uno de nosotros y podemos reducirlo (buscando rutas más suaves, reduciendo el grupo de personas, realizando ascensiones acordes al estado de forma del grupo). El peligro, en cambio, es algo objetivo. Siempre está presente y es algo que no cambia. El ejemplo más claro es el siguiente: si hay peligro 5 de avalanchas y nos quedamos en casa, el riesgo de que nos pille un alud cae drásticamente a 0.

¿QUÉ ES EL BPA?

El Boletín de Peligro de Aludes, o BPA, es un documento técnico emitido por organismos oficiales que muestra toda la información local o regional importante referente al peligro de aludes y sus problemas asociados en un momento concreto, y que todos quienes realizamos actividad en la montaña durante la época invernal deberíamos conocer. Pero el grado de peligro es sólo una pequeña parte de la información que nos proporciona. Por resumir, y de forma general, nos indicará:

- El grado de peligro.
- De qué tipo de peligro se habla.
- Qué distribución: en qué alturas; en qué orientaciones.
- Qué tipo de avalanchas podemos encontrar y de qué tamaño.
- Qué cargas son necesarias para provocarlas.

El boletín, resumen, incluye información muy valiosa relativa a cómo se distribuye este peligro, los problemas de aludes del día, orientaciones favorables, datos nivológicos (estado del manto nivoso y evolución), así como un análisis de la situación meteorológica pasada y futura. Es la base sobre la que se debe sustentar la valoración final del usuario.

La estructura del boletín refleja los principios de una pirámide de información. En la parte superior del boletín se describe el punto más importante, es decir, el nivel de peligro, seguido de los lugares más favorables a las avalanchas, los problemas de aludes, la descripción del peligro y la información sobre el manto de nieve y la meteorología. Por último, puede incluir los datos registrados por las estaciones meteorológicas automáticas.

Pirámide (de arriba a abajo):
- Grado de peligro
- Zonas más favorables a avalanchas (orientación, cotas...)
- Problemas típicos de avalanchas
- Descripción del peligro
- Información adicional (manto, meteo...)
- Datos y mediciones

PIRÁMIDE DE PELIGRO

Los boletines de aludes de todos los miembros del Servicio Europeo de Predicción de aludes EAWS tienen el mismo contenido y estructura.

EL PELIGRO DE ALUDES

El peligro de aludes es el valor final con el que se resume toda la información descrita en el boletín. Para ello se utiliza una escala del 1 al 5 consensuada y aprobada por la Servicios Europeos de predicción de Aludes (EAWS) a nivel internacional y sometida a

ESCALA EUROPEA DE PELIGRO DE ALUDES (2020)

Grado de peligro		Icono	Estabilidad del manto nivoso	Probabilidad de desencadenamiento
5	Muy Fuerte		El manto nivoso está en general débilmente consolidado y es extensamente inestable.	Se esperan numerosos aludes naturales muy grandes e incluso extremadamente grandes, también en laderas moderadamente inclinadas∗.
4	Fuerte	5 4 ✖	El manto nivoso está débilmente consolidado en la mayoría de laderas empinadas∗.	Es probable el desencadenamiento de aludes, incluso por sobrecarga débil, en numerosas laderas empinadas∗. En algunos casos se esperan numerosos aludes naturales grandes e incluso muy grandes.
3	Notable	3 ‼	El manto nivoso está entre moderada y débilmente consolidado en muchas laderas empinadas∗.	Es posible el desencadenamiento de aludes, incluso por sobrecarga débil∗∗, especialmente en las laderas empinadas indicadass∗. En ciertos casos son posibles algunos aludes naturales grandes y, de manera aislada, muy grandes.
2	Limitado	2 ❗	El manto nivoso está solo moderadamente consolidado en algunas laderas empinadas∗, en el resto se encuentra en general bien consolidado.	Es posible el desencadenamiento de aludes por sobrecarga fuerte∗∗, especialmente en las laderas empinadas indicadas. No se esperan aludes naturales muy grandes.
1	Débil	1 ✔	El manto nivoso está en general bien consolidado y estabilizado.	En general, el desencadenamiento de aludes es posible solo por sobrecarga fuerte∗∗ en puntos aislados de laderas muy inclinadas y terreno extremo∗. De forma natural solo son posibles aludes pequeños y medianos.

∗ **Las ubicaciones más propensas a los aludes se describen con más detalle en el boletín de peligro de aludes** (altitud, orientación, tipo de terreno, etc.)
- Laderas moderadamente inclinadas: laderas con una inclinación inferior a 30°.
- Laderas empinadas: laderas con una inclinación superior a 30°.
- Laderas muy inclinadas y terreno extremo: laderas particularmente desfavorables en cuanto a inclinación (superior a 40°), forma del terreno, proximidad a crestas y rugosidad.

∗∗ **Sobrecarga**
- **Débil:** esquiador / surfista moviéndose suavemente, sin caer; raquetistas; grupo con la adecuada distancia entre los miembros (mínimo 10 m).
- **Fuerte:** dos o más esquiadores / surfistas, etc., sin la adecuada distancia entre ellas; máquina pisanieves; explosivos.
- **Natural:** sin intervención humana.

FUENTE: WWW.AVALANCHES.ORG

---

continuas revisiones para su adaptación a las necesidades de los riesgos que producen las avalanchas en las zonas nevadas, humanos y bienes.

El grado de peligro (de 1 a 5) varía en función de la estabilidad del manto nivoso, la frecuencia y la distribución de la inestabilidad sobre el territorio, y el tamaño de alud esperado en la zona de análisis.

Los valores son: 5. Muy fuerte; 4. Fuerte; 3. Notable; 2. Limitado; 1. Débil.

Es importante saber que esta escala no es lineal, y por tanto leer bien el boletín ayuda a comprender mejor qué es lo que podemos encontrar en la montaña.

ZONAS FAVORABLES AL DESENCADENAMIENTO (altitud y orientación)

En este apartado informa sobre cómo se distribuye un determinado grado de peligro en altura y en orientación. Según el boletín que veamos podemos encontrarlo en forma numérica o mediante iconos o diagramas. Esta distribución hace referencia a los problemas de aludes que podemos encontrar.

PROBLEMAS TÍPICOS DE ALUDES

Los problemas típicos de alud describen las situaciones típicas de avalanchas que se dan en la montaña. La EAWS (European Avalanche Warning Services) identifica cinco problemas tipo de avalancha. Es posible consultar toda la información relativa a los 5 problemas tipo de alud descritos por la EAWS. Los podemos resumir en:

1. Nieve reciente: grandes acumulaciones de nieve caída durante un corto espacio de tiempo.

2. Placas de viento: el viento transporta la nieve y la acumula en zonas preferentes, sotavento de laderas, cambios de pendiente, cornisas…

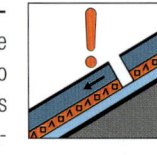

3. Capas débiles persistentes: debido a la presencia de capas débiles enterradas dentro del manto nivoso. Estas capas débiles son típicamente: cristales facetados, cubiletes o escarcha de superficie.

4. Nieve húmeda: El problema de alud está relacionado con un debilitamiento del manto debido a la presencia de agua líquida. El agua se infiltra dentro del manto debido a la fusión o a la lluvia.

En la imagen, huellas de un alud de placa. A la hora de estudiar los aludes, se clasifican del 1 al 5 en función de su tamaño, de su potencial destructivo (riesgo de enterrar a una persona, un edificio, un bosque...) y de su zona de llegada (ladera, zonas planas, fondo del valle...).

KIKE RIBAS

5. Deslizamiento basal o "glides": la lubricación del suelo y la pérdida de anclaje del manto sobre él, hace que deslice todo el espesor del manto nivoso.

DESCRIPCIÓN DEL PELIGRO

Este apartado se sitúa en el 4º nivel de la pirámide de información de aludes. En este apartado el BPA se centra en describir los peligros en función de:

• **Probabilidad de que se produzca un alud.** Imposible – Posible – Probable – Muy probable – Casi Seguro. También puede aparecer expresado con una escala del 1 al 4.

• **Tamaño del alud.** Aparecen descritos como: Alud pequeño – Alud mediano – Alud grande – Alud muy grande – Alud extremadamente grande. El tamaño se mide en función de su capacidad de generar daños y en cómo es la zona de llegada.

• **Tipo de sobrecarga,** si esta tiene que ser fuerte o débil, así como si son accidentales o naturales. Esta información puede aparecer escrita o en forma de icono.

INFORMACIÓN SOBRE EL MANTO Y LA METEOROLOGÍA

Nos encontramos en el 5º nivel de la pirámide de información de aludes. Es la base sobre la que se sustenta el boletín, es la información técnica del manto nivoso: espesor, tipo de cristales, capas, temperatura de la nieve etc. Suele aparecer en los boletines, ya que le da peso y solidez a la predicción.

De la misma forma la meteo, tanto pasada como situación actual, como futura. La meteo influye de forma clave en la evolución del manto nivoso, en su transformación – estabilización, generación de capas inestables... y por ende en su estabilidad.

Este nivel quizás es un poco más especializado, pero con un poco de práctica y lectura podremos obtener información muy valiosa.

LOS DATOS Y MEDICIONES

Es el último nivel de la pirámide. Estos son los datos brutos, perfiles, test, sondeos... que se realizan en el campo gracias a los observadores nivometeorológicos, refugios, estaciones de esquí... para poder aportar información con la que el equipo de predicción escribirá el Boletín de Peligro de Aludes.

En conclusión, leer y entender el BPA, además de ser una estupenda herramienta de planificación de nuestras salidas invernales, nos va a ayudar a tomar decisiones y a saber gestionar mejor el riesgo una vez que estemos en la montaña. Solo me falta desearos a todos y todas una buena temporada invernal con actividades apasionantes y enriquecedoras. ¡Salud y nieve!

Rocío HURTADO
Formadora del centro ACNA
(Asociación para el Conocimiento de Nieve y Aludes).
www.acna.es

Los grandes espacios del Capcir —en la imagen a los pies del Petit Peric— tienen un aire de paisaje escandinavo. El esquí de travesía nórdico resulta perfecto para recorrerlos.

PIRINEOS ORIENTALES
Esquí de travesía nórdico en el
CAPCIR

Invitamos al descubrimiento de esta disciplina que está en auge, a medio camino entre el esquí de travesía y el esquí de fondo. Para ello, nada mejor que esta propuesta de varios días por el entorno de la estación nórdica de Capcir que, aunque está en el lado francés, pertenece al Parque Natural de los Pirineos Catalanes. Su elevada altitud hace que suela conservar la nieve hasta la primavera.

Abajo, el refugio de Bouillouses, completamente renovado y moderno; y descendiendo en telemark que, incluso con las tablas estrechas del esquí nórdico, tiene un giro elegante y eficaz. Derecha, al pie de los picos Perics, la ruta serpentea entre pinares y pequeños lagos.

FOTOS: ÉRIC DELAPERRIERE

AL norte de los Pirineos Orientales, el Capcir está dominado por el pico Carlit, el más alto de la región, con 2921 m. A su alrededor, los bosques y las colinas crean un excepcional terreno de juego para el esquí de fondo, el esquí de travesía nórdico o las raquetas.

Al tomar la carretera que serpentea desde Perpiñán y la llanura del Rosellón, llegar a Mont Louis marca el inicio de los terrenos de altura. Aquí la altitud media supera los 1500 metros, las cumbres se acercan a los 3000 metros y los paisajes recuerdan a las tierras nórdicas, como Canadá o Laponia. Si bien Les Angles es la estación más importante de la zona, Font Romeu y Formiguères también ofrecen bonitos dominios esquiables. Al norte, Puyvalador, que en su día fue una acogedora estación familiar, cerró definitivamente hace dos años. Sin embargo, en lo relativo al esquí nórdico, el dominio de Capcir fue en los años 80 uno de los más importantes de Francia en cuanto a kilometraje de pistas acondicionadas. Hoy en día, las nevadas a media altitud se han vuelto menos frecuentes e impredecibles; las pistas de esquí nórdico se encuentran en altitudes superiores, y las conexiones entre diferentes zonas ya no se mantienen tan a menudo.

Ida y vuelta al refugio de Coll de Torn

A principios de marzo de 2024, la nieve aún se hacía esperar en Capcir. En las pistas de esquí alpino, los cañones aseguran lo mínimo para los turistas, pero los apasionados del esquí nórdico están desesperados. Y, como suele ocurrir en estas monta-

ñas meridionales, en solo 48 horas cae más de un metro de nieve de repente gracias al famoso «retorno del Este». Es la señal para salir; mis esquís están encerados, mi mochila en el coche. No puedo perder la oportunidad: ¡podría ser el mejor momento del invierno! Había planeado hacer el circuito de Capcir, que me hacía soñar en los años 80, pero, al llegar, la nieve ya ha desaparecido por debajo de los 1500 metros. Nos contentamos con una ida y vuelta al encantador refugio del Coll del Torn, accesible por las pistas del espacio

nórdico del coll de la Llose. Una buena ocasión para probar nuestro material de esquí de travesía nórdico, que hemos alquilado en el lugar, y disfrutar de una salchicha a la brasa, servida por Léonie, la guardesa del refugio.

Jornada hasta el refugio de Camporells

Tras este aperitivo, pasamos a asuntos más serios: una gran aventura en altitud, aunque con cierta comodidad, ya que el macizo dispone de otros dos refugios guardados

en invierno: Camporells y Bouillouses, ¡toda una rareza en los Pirineos franceses!

Con el grueso manto de nieve que cubre desde hace una semana las montañas catalanas, decidimos probar nuestro equipo en las bajadas y empezar usando algunos remontes mecánicos. Los esquís y botas de esquí de travesía nórdico tienen la ventaja frente los esquís de fondo clásicos de que permiten bajar por pendientes moderadas gracias a su mayor rigidez y a sus cantos metálicos. En las pistas verdes de Formiguères, comprobamos que el giro

El esquí de travesía nórdico, vuelta a los orígenes

En Europa occidental, el esquí de fondo no tiene el mismo éxito que en los países nórdicos: en nuestras montañas, se suele preferir el esquí alpino, con un gran despliegue de remontes mecánicos. Sin embargo, desde hace unos años, el esquí de fondo en general y, en particular el esquí de travesía nórdico, están volviendo a ponerse de moda. Se trata de una modalidad de esquí más cercana a la naturaleza, económica, bastante accesible técnicamente y menos exigente que el esquí de travesía tradicional.

Los fabricantes han aprovechado este interés para ofrecer material ligero y eficiente.

Los esquís de travesía nórdica, (*backcountry* en inglés o *randonnée nordique* en francés), suelen tener cotas bastante estrechas y están equipados con cantos metálicos, lo que los hace mucho más seguros en el descenso que los esquís de fondo clásicos. A menudo disponen de escamas antirretroceso y, para ascender pendientes más pronunciadas, se colocan pieles de foca como en el esquí de travesía tradicional..

Las botas también son más rígidas, de cuero impermeable y, a veces, de plástico, para garantizar un buen soporte en los descensos.

Las fijaciones son específicas y siempre mantienen el talón libre:
• En terrenos ondulados, poco empinados, o en pistas pisadas, las fijaciones reforzadas tipo esquí de fondo (NNN BC) son bastante polivalentes.
• Las fijaciones N75, ligeras de estilo telemark, con o sin cables, permiten un buen control en el descenso, aunque resultan menos cómodas en terrenos planos.
• Desde hace 3 años, Rottefella ha lanzado una fijación con inserto, la XPlore, similar a las Lowtech del esquí de travesía alpina, que combina buen soporte en el descenso y gran amplitud en plano, aunque requiere botas específicas.

Todo es, por tanto, una cuestión de compromiso entre la eficacia en terreno llano y las aptitudes para descender en pendientes moderadas.

Este material no siempre es fácil de encontrar en nuestras latitudes, salvo en internet o en regiones adecuadas para esta práctica.

En el Capcir se pueden encontrar alquileres de este tipo de material: en el espacio nórdico del Col de la Llose (06 74 82 43 49) y en tiendas de esquí de Capcir (lista disponible en www.pyrenees-catalanes.net/fr/sortir-et-decouvrir/ou-trouver-du-materiel-nordique).

Nosotros alquilamos unos esquís Fischer Excursion 88 con fijaciones NNN-BC y el sistema de pieles Easy Skin: esquís modernos, algo anchos, con buen comportamiento en los giros, pero botas BCX-Traverse algo flexibles.

Dónde practicarlo: en España muchas zonas se prestan a esta práctica: pequeñas montañas, mesetas elevadas de los Pirineos, pistas forestales, a menudo cerca de estaciones de esquí de fondo (Aragón, Val d'Arán, Cerdaña...), en Asturias (Alto Campoo) o en el Sistema Central (Guadarrama). También los itinerarios de raquetas o de esquí de travesía para principiantes suelen ser accesibles para el esquí de travesía nórdico.

FOTOS: ÉRIC DELAPERRIERE

en cuña sigue siendo controlable y que para los más hábiles también es posible el viraje paralelo o el telemark, todo ello manteniendo la capacidad de recorrer largas distancias en terreno llano. Desde la cima del telesilla, se abre un mundo nuevo ante nuestras espátulas: hacia la sierra de Mauri hay unas vistas extraordinarias de los altiplanos, lejos de las pistas pisadas. A más de 2000 metros de altitud, una multitud de valles bordeados de pinos y pequeños lagos, apenas visibles bajo la nieve, nos separan aún del refugio.

De valle en valle, llegamos al refugio de Camporells justo a la hora de almorzar: apenas dejamos los esquís y una ración de boles de picolat (albóndigas en salsa, una especialidad catalana) aparece milagrosamente ante nosotros. Después de tal festín y un café al sol en la terraza, decidimos volver a calzarnos los esquís y explorar los alrededores del refugio, intentando mejorar nuestra técnica de descenso. Con una luz espectacular y una nieve ligera que no ha barrido el viento, debo admitir que la cuña será mi única aliada durante los próximos

días, mientras que mi compañera Stella recuerda su destreza como telemarkista y encadena giros con sus "palillos" nórdicos.

Regresamos al refugio al atardecer, disfrutamos de una buena cena y de un breve repaso del itinerario para el día siguiente. Nos espera una etapa bastante larga donde la orientación es esencial para encontrar el paso correcto, detectar pendientes menos pronunciadas y prever el espesor de nieve, ya que el viento ha esculpido crestas. Martine, nuestra guía, conoce estos lugares como la palma de su mano. Fue una de las primeras monitoras de esquí de travesía nórdico en Francia en los años 70, antes de encargarse del espacio nórdico de Capcir.

Segunda jornada al refugio de Bouillouses

A la mañana siguiente, el aire es fresco y claro, y una ligera capa de nieve ha dejado todo el paisaje cubierto de polvo blanco. Nos deslizamos por una sucesión de valles al pie de los picos Pérics. Un tramo algo más empinado pone a prueba las escamas de nuestros esquís: es hora de sacar las

Arriba, atravesando el lago de Bouillouses con los últimos rayos de sol; y abajo, probando los esquís en las pistas de Formiguères. A la izquierda, arriba, colocando pieles, y unos esquís en el espacio Col de la Llose; y abajo, por encima de Formiguères, con el viento soplando sobre la Serra de Mauri.

DATOS PRÁCTICOS

ACCESO
Hay que llegar a la estación de esquí nórdico de Capdir (GPS: 42°32'07.3"N 2°08'32.2"E), bien desde Puigcerdà o desde Perpiñán, según nuestro punto de origen.

ALOJAMIENTOS
• **Refugio del Coll del Torn:** 12 plazas, guardado de diciembre a abril y de junio a octubre. Accesible por las pistas de fondo. *www.refugeducoldeltorn.fr.*
• **Refugio de Camporells:** 19 plazas, guardado todo el año, con reserva fuera de vacaciones. *www.refuge-camporells.fr.*
• **Refugio de Bouillouses:** 59 plazas, guardado en invierno dependiendo de la nieve. Tel.: 04 68 04 93 88.

FORFAIT
El acceso a las pistas de esquí de fondo del Col de la Llose requiere la compra de un pase nórdico, mientras que el acceso a la Serre de Mauri (2 telesillas) requiere la compra de un pase de senderismo (8€).

CONDICIONES Y TEMPORADA
Para hacer el tour del Capcir en esquí de travesía nórdico, un clásico en los años 80, suele faltar nieve en el fondo del valle, alrededor del lago de Matemale. Sin embargo, los itinerarios en altitud, entre Formiguères y Les Angles, pasando por los refugios de Bouillouses y de Camporells, suelen estar bien nevados, a veces hasta mediados de abril gracias a la altitud, que supera los 2000 m.

Las colinas altas alrededor de los lagos y algunas cimas fáciles, como el pico de Mortiers o el Madres, son perfectas para el esquí de travesía nórdico o las raquetas, mientras que el pico Carlit o los Périos están más bien reservados para alpinistas y esquiadores de travesía.

WEBS ÚTILES
• Estación nórdica del Capcir: *www.capcir-nordique.com*
• Comunidad de municipios de los Pirineos Catalanes: *www.pyrenees-catalanes.net*
• Turismo de los Pirineos Orientales: *www.tourisme-pyreneesorientales.com*

FOTOS: ÉRIC DELAPERRIERE

Arriba, entre el refugio de Camporeills y el de Bouillouses, el recorrido alterna pequeñas subidas y bajadas divertidas, de lago en lago. Los esquís de travesía nórdica son ideales para este terreno ondulado. A la izquierda, arriba, en el espacio nórdico Col de la Llose; y abajo, a punto de tomar el telesilla que lleva a la parte alta de las pistas de Formiguères, desde donde se llega al refugio de Camporeills; y disfrutando de una buena sopa en este refugio.

pieles. Los jóvenes llevan medias pieles, muy prácticas, que se fijan con un agujero bajo el patín y que les permiten deslizar mejor en las subidas y bajadas continuas. Después del almuerzo al sol, llega el drama: en un viraje brusco, Martine ha roto su fijación y la puntera de su bota se ha rasgado. Nos encontramos a varios kilómetros del refugio, sin cobertura y sin otra opción que intentar una reparación improvisada con una navaja suiza y un trozo de cuerda

de parapente que, por suerte, Guy llevaba en su mochila. El avance se vuelve agotador, especialmente en los descensos. Al atardecer, llegamos al lago de Bouillouses en el que, a pesar de las normas, decidimos cruzar el lago helado. Un momento mágico en medio de seracs translúcidos y bloques de hielo levantados por las variaciones de nivel de la presa, que abastece de agua a los cultivos del Rosellón.

Ya casi es de noche cuando llegamos al refugio de Bouillouses, justo debajo de la presa. Gestionado por el Club Alpino Francés hasta hace dos años, ha sido reformado completamente. Ahora es un refugio ultramoderno, con pequeños dormitorios y baños de primera, rodeado de una naturaleza excepcional, a los pies del pico Carlit (2921 m), el más alto de los Pirineos Orientales.

Aquí, en verano, el acceso está restringido: solo se puede llegar a pie o bien mediante un servicio de autobús, para evitar los atascos. En invierno es totalmente diferente; la carretera no se despeja y solo unos pocos senderistas se aventuran para almorzar, dormir y explorar los numerosos lagos cercanos o ascender las cumbres nevadas. Esa noche, solo somos una decena de personas alrededor de la mesa, disfrutando de una tartiflette con queso local. Kike, uno de los guardianes desde la reapertura, es barcelonés y después de cenar insiste en que probemos algunos famosos "chupitos". El bar permanecerá abierto hasta tarde...

Y regreso a la civiliazación

A la mañana siguiente, algunos se quejan de dolor de cabeza, pero aún tenemos kilómetros por recorrer. Aunque no es un terreno difícil, estas montañas, cubiertas de densos bosques, exigen un buen sentido de la orientación. Nos equivocamos al dejar el lago Bouillouses y tenemos que tomar un buen punto de GPS para retomar el itinerario. Poco a poco, recuperamos los senderos marcados, trazados por raqueteros y senderistas hacia el lago de Aude, para después deslizarnos por una pista forestal, pasando por el parque animal de Les Angles hasta el estacionamiento de Pla del Mir, donde regresamos a la civilización

A pesar del cambio climático, la elevada altitud de las montañas de Capcir garantiza hermosos períodos de nieve, a menudo hasta bien entrada la temporada. La combinación de colinas, pistas forestales y lagos nevados hacen de este uno de los más bellos espacios nórdicos de los Pirineos. El esquí de travesía nórdico, así como las raquetas (aunque estas descienden peor), son ideales para descubrir este "gran norte" catalán, con la ventaja añadida de los refugios guardados.

Éric DELAPERRIERE

BUILT FOR THE VERTICAL JOURNEY.

CORSA ALPINE.

Corsa Alpine combina un mango de aluminio superligero con una cabeza de acero que garantiza un buen rendimiento incluso en terrenos técnicos. La versión de 45 cm es lo último en montañismo y esquí de montaña que requieren tanto el rendimiento de la hoja y la pala de acero como la ligereza del aluminio. La curvatura del mango optimiza el balanceo sin reducir la funcionalidad de apoyo y penetración en la nieve. Una inserción especial de nylon evita que la nieve penetre y se acumule en el mango, que presenta un mecanizado en la empuñadura para garantizar un buen agarre.

www.camp.it

EVOLUTIONARY

Guantes G Crest

El G Crest es un guante polivalente que garantiza un excelente rendimiento en todas las actividades de montaña. Es robusto gracias a su exterior de piel cálida e impermeable gracias a su aislamiento térmico y membrana transpirable DRYZONE®. El agujero que envuelve completamente la mano sustituyendo al resto, aumenta la suavidad y mejora la sensibilidad, lo que permite un excelente agarre de clavijas o baquetas con el G Crest. Las piezas preformadas ayudan a mejorar el agarre, mientras que la correa elástica, diseñada para optimizar el ajuste, permite una excelente adaptación del guante a la mano.

Tallas: XS – XXXL. **Peso:** 150 g. **PVPR:** 89,95 € www.camp.it

Bastón Ski Drop

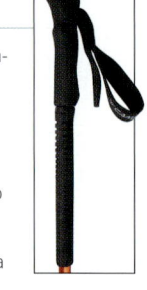

Bastón telescópico de aluminio, diseñado para actividades invernales y en particular para el esquí de montaña. La construcción de dos segmentos garantiza la mejor combinación de compacidad y rapidez de ajuste. La innovadora sección en forma de lágrima reduce el peso y garantiza una estabilidad excepcional al impedir que el segmento inferior gire. La nueva roseta Winter Basket, de diseño asimétrico que proporciona una amplia superficie de apoyo y una forma alargada con una punta de metal duro, es especialmente eficaz en las pendientes más pronunciadas. El Ski Drop tiene 89 cm de largo cuando está cerrado y se puede ajustar hasta 135 cm gracias al práctico clip de aluminio (cómodo incluso con los guantes puestos). La doble empuñadura permite el agarre a diferentes alturas.

Peso: 480 g. **PVPR:** 84,95 € www.camp.it

Mochila Ski Raptor 20

Ligereza, funcionalidad, comodidad y robustez son las consignas de un producto que va más allá del esquí de montaña clásico y que también responde a las necesidades de los aficionados al freeride. La versión más compacta y esencial de 20 litros es ideal para excursiones más cortas y rápidas. Extremadamente robusta gracias a su construcción en nylon 420D, se distingue por un sistema portaesquís muy eficaz, caracterizado por la posibilidad de desplazar el bucle inferior paras las colas hacia el respaldo o hacia el exterior en función del contenido de la mochila. Otros detalles que garantizan la comodidad son las hombreras rellenas con ribete exterior y el respaldo ergonómico y ventilado. Incluye doble portapiolets, portabastones, portacasco y otros accesorios funcionales.

Peso: 790 g. **PVPR:** 154,95 € www.camp.it

Piolet Corsa Nanotech

El piolet más avanzado para travesías por terreno nevado y glaciares y esquí de montaña disponible en el mercado. Fabricado de aleación de aluminio 7075-T6 como el ligerísimo Corsa, se diferencia de este por las aplicaciones de aleación de acero Sandvik Nanoflex® en cabeza y regatón: puntos críticos que resultan de esta forma más resistentes sin sacrificar la ligereza. La curvatura del mango optimiza el balanceo sin reducir la funcionalidad de apoyo y penetración en la nieve. Una inserción especial de nylon evita que la nieve penetre y se acumule en el mango, que presenta un mecanizado en la empuñadura para garantizar un buen agarre. La ranura integrada en la cabeza, entre la pala y el mango, permite fijar la Dragonera Corsa (disponible por separado).

Peso: 225 g (50 cm), 253 g (60cm), 284 g (70 cm). **PVPR:** 134,95 € www.camp.it

Piolet Ghost

El piolet más ligero, con cabeza y hoja en acero. El GHOST está pensado para los que buscan las opciones más ligeras en material, sin por ello renunciar al factor durabilidad y resistencia, que sin duda le aportan la cabeza y la hoja en acero forjado. Su hoja, ligeramente curvada, añade también una sujeción más eficaz y permite la maniobra de auto-retención. Mango G-BONE patentado, con forma de diáfisis de hueso, que aporta una mejor prensión en la mano y resta peso. Para sumar ligereza, el piolet GHOST cuenta con pala en aluminio ligero. Disponible en versión pala y martillo. Disponible en 4 llamativos colores: turquesa, lima, fucsia y blanco.

Certificación: CE EN 13089, TYPE 1, UIAA 152.
Peso: 269 g. **Longitud:** 45 o 50 cm. **PVPR:** 119,90 €
www.grivel.com

Guantes Guida

Guante impermeable muy polivalente para la práctica del alpinismo y actividades invernales. La zona del dorso está reforzada con Nylon resistente a la abrasión con membrana impermeable. La palma está fabricada con piel de cabra resistente a cortes, repelente al agua y muy dúctil para aportar una óptima maniobrabilidad. Cuenta con relleno mixto de lana y fibras sintéticas para conseguir un óptimo confort térmico y transpirabilidad. La muñeca sobredimensionada se extiende hasta el brazo; con tirador de regulación y dragonera elástica. Diseño diferenciado en cada mano.

Tallas: S a XL. **Peso:** 202 g/par. **PVPR:** 119,90 €
www.grivel.com

Air Tech Light New-Matic EVO

La opción más ligera con 12 puntas de la familia de crampones Air Tech. Puntas con diferentes ángulos de inclinación y longitudes para asegurar estabilidad y adherencia en cualquier superficie. Construcción asimétrica para ofrecer una perfecta cobertura de las suelas, incluidas las más modernas de esquí alpinismo. Incluye barra de regulación Flex (con 2 longitudes), flexible y elástica para adaptarse al movimiento del pie. Sistema de fijación NEW MATIC eficaz, rápido y polivalente: ajuste frontal en termoplástico flexible y resistente que se adapta a cualquier tipo de bota rígida. Talonera rápida para facilitar la fijación a la bota. Peso muy ajustado y volumen mínimo. Anti-boots incluidos.

Certificación: CE EN 893, UIAA 153. **Materiales:** aleación ligera.
Rango tallas: 35 – 46 EU. **Peso:** 564 g. **PVPR:** 172,90 € **www.grivel.com**

Máscara Mountain

Máscara ergonómica y ultra-ligera, sólo 60 g, diseñadas específicamente para la práctica de actividades con nieve. Lentes en policarbonato, ligeras y resistentes a ralladuras y con protección UV categoría 4 (Mountain). Disponen de orificios FogStop para evitar que se empañen durante la actividad. La forma precurvada de la lente distorsiona menos la visión y mantiene una correcta circulación de aire. En su cara interior, están recubiertas con espuma multicapa hipo-alergena que se adapta a la forma de la cara. Fáciles de regular mediante amplia cinta con cierre de velcro, compatibles con la mayoría de cascos. La máscara incluye clips adaptadores para llevarlas por encima de un casco, así como funda y montura para hacerlas compatible con lentes reguladas.

Peso: 60 g. **PVPR:** 129 € **www.grivel.com**

Casco Duetto

Casco con doble certificación (alpinismo-escalada y esquí montaña) más ligero del mercado. Tan sólo 195 g. Sus formas angulares están inspiradas en el exitoso casco Stealth de Grivel. La carcasa EPP (polipropileno expandido) hace posible su notable reducción de peso y garantiza la necesaria protección a impactos laterales, frontales, posteriores y superiores (*All-Round Protection*). De diseño limpio y funcional, tiene un sistema de regulación mediante correas muy personalizable, preciso y ligero. Tiene también la ventaja de que, al transportar el casco en la mochila, las correas ocupan el mínimo espacio. Cuatro enganches para fijar la linterna frontal.

Certificación: CE EN 12492, CE EN 1077/B, UIAA 106.
Rango de regulación: 53 – 60 cm. Disponible en color azul eléctrico y gris titanio. **Peso:** 215 g. **PVPR:** 139,90 €
www.grivel.com

Arnés ligero Himani

Arnés hiperligero esquí-montaña y alpinismo. El tejido X-Tech, diseñado por Dimension-Polyant, es el responsable de su ligereza, alta durabilidad y compresibilidad. Las fibras de alta tenacidad aseguran una gran resistencia y una adaptación homogénea al cuerpo. La trama interior de aramida aporta confort, durabilidad y resistencia a los rayos UV. Cinturón preformado y perneras regulables. Para poner el arnés no hace falta descalzarse los crampones o los esquís. 4 anillos porta-material minimalistas en Dyneema. Portatornillos en perneras.

Certificación: CE EN 12277. **Peso:** 146 g. **Tallas:** 3. **PVPR:** 94,90 €
www.grivel.com

Bastones Condor EVO Ski Vario

Bastón regulable con 2 segmentos y hoja plegable. El bastón CONDOR EVO SKI VARIO está diseñado para la práctica del esquí-alpinismo por terreno exigente y técnico. El mango está equipado con una hoja plegable de acero tipo piolet. Esta hoja puede utilizarse para realizar la técnica de auto-retención en nieve. Cuando la hoja está en posición cerrada, el mango funciona como un confortable apoyo para la mano gracias al recubrimiento de goma termo-aislante. Con la hoja en posición abierta, el mango está diseñado para proteger la mano. El bastón está construido a partir de 2 segmentos de aluminio 7075 (de 18 y 16 mm de diámetro) que permiten regularlo fácilmente de 110 a 140 cm. Cuenta también con la roseta Mutant con 2 posiciones para poder utilizarse en modo ascenso (posición asimétrica) y modo descenso (posición simétrica). El Condor Evo Ski Vario se vende por unidad.

Peso: 239 g (uni). **PVPR:** 179 € **www.grivel.com**

Mochila Raid Pro 25

Mochila diseñada para el esquí-montaña fabricada en tejido Nylon 210D ligero y resistente. Destaca por la disposición de las cintas para fijar los esquís y piolets; que permiten acceder fácilmente al material sin necesidad de quitarse la mochila, y porque aportan una gran estabilidad. Formas limpias y regulares para restar peso y aprovechar al máximo el espacio interior. Reflector RECCO para aportar prestaciones extra de seguridad. Doble acceso al interior de la mochila: desde la tapa, mediante cremallera estanca, pero también desde el respaldo. Cinturón para adaptarla a nuestro cuerpo y tirantes con cinta pectoral estabilizadora.

Peso: 560 g. **Capacidad:** 25 l. **PVPR:** 119,90 €
www.grivel.com

HEAD

HEAD

CRUX PRO 93

CRUX PRO 87

CRUX PRO 81

CRUX 99

CRUX 93

CRUX 81

CRUX PRO 105

Esquís Crux

La vuelta de los esquís de travesía a la marca austríaca. A grandes trechos, estos esquís aseguran un ágil y ligero ascenso y una bajada de pura adrenalina. La nueva colección CRUX cuenta con una construcción totalmente novedosa la cual, ya avanzamos, desafía a la del esquí convencional. El principal objetivo de esta construcción, bajo la tecnología LYT TECH, ha consistido en evaluar cada capa del esquí para tratar de eliminar el máximo peso posible y potenciar el propio rendimiento del esquí. Entre otras especificaciones técnicas, destaca la nueva capa de Carbono Full Triaixal que aporta mayor rigidez torsional y el revestimiento Snow Free en vez de una lámina superior, como es habitual, para conseguir un esquí ligero sin adherencia de nieve en la superficie. La colección se compone, por un lado, de la línea más accesible de esquís CRUX, para aquellos que se inician en el esquí de montaña y, por otro lado, la gama superior de la colección, los esquís CRUX PRO. Dentro de cada categoría el esquiador podrá escoger entre distintos modelos, según su preferencia, nivel y diseño: CRUX PRO 105, CRUX PRO 99, CRUX PRO 93, CRUX PRO 87 Y CRUX PRO 81, CRUX 99, CRUX 93, CRUX 87 y CRUX 81.

PVPR: 1.280 € (PRO 105).
www.head.com

Botas Crux

En Altivole, Italia, el equipo de diseño de botas de esquí de HEAD trabajó con una red internacional de guías de montaña para desarrollar una bota sin concesiones, con el mismo rendimiento en la subida que en la bajada. En la construcción se integran plásticos reciclados y bioplásticos de alto rendimiento. Con el nuevo diseño Power LYT, la línea de botas CRUX ofrece una esquiabilidad increíble en un conjunto muy fuerte y liviano. Perfectas para subidas y bajadas sin problemas. Dentro de cada categoría el esquiador podrá escoger entre distintos modelos CRUX PRO, CRUX Touring y CRUX Women Touring.

PVPR: 800 € (Crux Pro), 700 € (Crux), 800 € (Crux W). **www.head.com**

CRUX PRO

CRUX

CRUX WOMAN

Fijación Almonte 12 PT

La nueva fijación Almonte 12 PT combina excelentes características en subida con un rendimiento sin precedentes en bajadas. Esta innovación de TYROLIA ofrece las mejores características de esquí de travesía en un solo producto, empezando por la puntera, que destaca por una palanca ergonómica (que se puede manejar con el bastón o con la mano) y una entrada de pie simplificada. El talón es un ganador seguro con un cambio súper fácil entre el modo de caminata y esquí, así como un freno automático, donde todas las piezas de bloqueo están en el interior para evitar la formación de hielo. Tres alzas (0°/6,5°/12°) garantizan un ascenso cómodo. Con la ayuda del espaciador de rendimiento, la configuración de la fijación se puede ajustar con precisión, optimizando la transmisión de potencia y llevando el rendimiento en bajadas a un nuevo nivel. Nuevo enfoque en el uso de materiales para garantizar que todas las partes plásticas de la fijación estén hechas de materias primas renovables. Estas características y el peso ligero de 325 g, incluido el freno, hacen de la nueva fijación Almonte la fijación de pin definitiva.

PVPR: 450 €. **www.head.com**

WHISPER®

Extremadamente ligero y técnico, el arnés WHISPER empuja a dar el salto hacia el alto rendimiento a los alpinistas más comprometidos. Con su construcción innovadora en tejido MATRYX® Technology, se concentra en lo esencial: la ligereza y la compacidad, sin olvidar la comodidad. Gracias al poco grosor y la flexibilidad de su cinturón y perneras, te sigue a la perfección en todos tus movimientos. Provisto de cinco anillos porta material, no te faltará espacio para transportar todo tu equipo en las vías más exigentes, tanto en alpinismo como en escalada. Sus puntos de encordamiento y sus anillos porta material están diseñados para resistir de forma duradera a la abrasión.

Materiales: polietileno de alta densidad, poliamida, poliéster y aluminio. **Tallas:** XS, S, M, L. **Peso:** 170 g (talla M). **Certificaciones:** CE EN 12277 type C, UIAA. **PVPR:** 180 €. **Disponible a partir de febrero de 2025.** www.petzl.com

RAD SYSTEM

Kit completo ultraligero y compacto con cordino específico, destinado a los esquiadores para el rescate en grietas, el descenso en rápel y el encordamiento en glaciar para escapar de una zona agrietada. Completo, ultraligero y muy compacto, el kit RAD SYSTEM (Rescue And Descent) permite a los esquiadores que evolucionan por la montaña tener siempre consigo el material necesario para efectuar rescates en grietas, descender en rápel o esquiar encordados para escapar de una zona agrietada. Incluye una bolsa de transporte, 30 metros de cordino específico RAD LINE de 6 mm, 3 mosquetones Sm'D SCREW-LOCK, 1 bloqueador TIBLOC, 1 polea-bloqueadora MICRO TRAXION, 1 anillo de cinta ST'ANNEAU de 120 cm.

Peso: 1000 g. **PVPR:** 330 €
www.petzl.com

METEOR

Ligero, compacto y provisto de una excelente ventilación, es confortable en todas las estaciones. Su forma envolvente aporta una protección reforzada en toda la cabeza (TOP&SIDE contra los impactos laterales, delanteros y posteriores) y su diseño ha sido especialmente estudiado para llevar una máscara de esquí. Construcción In-Mold, con una almohadilla de espuma de EPS inyectada bajo una fina carcasa de policarbonato, que favorece la compacidad en la cabeza. Además, el METEOR es el primer casco certificado CE para esquí de montaña (no para esquí alpino).

Tallas: S/M, M/L. **PVPR:** 90 €
www.petzl.com

LASER SPEED LIGHT

Tornillo para hielo ultraligero con manivela integrado idóneo para el alpinismo. Su tubo de aluminio, unido a unos dientes de acero, permite reducir considerablemente su peso. La manivela, plegable e integrada, facilita y acelera el atornillado, gracias a un brazo de palanca optimizado. Los colores distintos permiten facilitar la identificación de las diferentes longitudes.
Características: Certificaciones: CE EN 568, UIAA 151. Longitud: 13, 17, 21 cm. Peso: 13 cm (91 g).

Materiales: acero y aluminio. **PVPR:** 72 € (13 cm)
www.petzl.com

GLACIER

Piolet ligero diseñado para que te acompañe en tus recorridos de esquí de montaña o la marcha por glaciar. Su cabeza curvada se adapta perfectamente a la palma de la mano y proporciona una excelente prensión como piolet-bastón. Su regatón de acero inoxidable y su hoja, más fina en la punta, ofrecen una altísima calidad de anclaje tanto en nieve dura como en hielo. Pala resistente que permite tallar peldaños eficazmente. Incluye protectores de hoja y regatón.

Materiales: acero templado, aluminio y poliamida.
Tipo hoja y mango: 1. **Longitudes:** 50, 60, 68 y 75 cm.
Peso: 320 g (versión 50 cm). **Certificaciones:** CE, UIAA.
PVPR: 100 €. **Disponible a partir de febrero de 2025.**
www.petzl.com

LEOPARD LLF

Crampones ultraligeros para esquí de montaña y progresión por nieve. Con solo 320 g, son los más ligeros de la gama Petzl. Sus 10 puntas que permiten conservar una estabilidad para la marcha en nieve dura. Su sistema de unión flexible de las partes delantera y trasera optimiza el espacio en la mochila. Su sistema de fijación LEVERLOCK FIL es compatible con calzado con rebordes delantero y trasero. Certificaciones: CE EN 893, UIAA. Crampones con bolsa de protección y transporte incluida.

Materiales: aluminio, acero inoxidable, poliamida y polietileno de alta densidad.
Tallas: 36-46. **PVPR:** 160 €
www.petzl.com

SWIFT® RL

Con 1100 lúmenes por tan solo 100 g, la SWIFT RL es la linterna frontal multideporte por excelencia, indispensable para tus actividades outdoor. Provista de la tecnología REACTIVE LIGHTING®, un sensor evalúa la luminosidad ambiente y adapta automáticamente la potencia de iluminación a tus necesidades. Cinta reflectante. Confeccionada en dos partes para asegurar una excelente sujeción durante las salidas dinámicas y comprometidas en alpinismo, trail o esquí. Intuitiva, la SWIFT RL dispone de un botón único que permite acceder fácilmente a todas sus funciones (ON/OFF, modos y niveles de iluminación y bloqueo). También podrás contar con su iluminación roja, fija o intermitente, en caso de necesidad. Recargable, dispone de un indicador con cinco niveles que te permitirá consultar con precisión el nivel de carga de la batería.

Tipo de haz luminoso: mixto (amplio y focalizado). **Certificaciones:** CE, UKCA.
PVPR: 125 € www.petzl.com

Hermanos Pou

«Estamos en un momento muy bueno, de madurez»

LOS hermanos alaveses Iker y Eneko, escaladores y alpinistas de la élite mundial, nos hablan en esta entrevista de su trayectoria de más de 25 años. También aportan consejos y nos cuentan cuál es su equipo imprescindible, en el que no falta una multiherramienta de Leatherman, firma de la que son embajadores desde 2021.

En la actualidad, estáis que no paráis. Este 2024 habéis sido de nuevo nominados al Piolet de Oro, lanzáis vuestro segundo libro y os encontráis en pleno ciclo de conferencias por todo el país. Además os habéis dejado ver por el programa *La Revuelta* contando vivencias y pasando un buen rato. ¿En qué momento profesional os sentís?

Eneko: Nos sentimos muy bien, en un buen momento de madurez, con pro-

yectos muy interesantes en el plano deportivo y en el intelectual, ojalá podamos continuar una temporada larga en esta línea.

Iker: En un momento muy bueno, muy motivados e ilusionados con diferentes proyectos.

Perú ha sido un país muy importante y significativo para vosotros este año. Lleváis allí varias expediciones a vuestras espaldas, como el ascenso a La Esfinge dentro de la prestigiosa ruta de La Cruz del Sur o abriendo la ruta *Pisco Sour* en los Andes. Más que viajar por todo el mundo, es vuestra manera de vivir. ¿Qué experiencia trascendental os lleváis?

Eneko: Perú nos marcó desde que lo visitamos en el 2017, tanto en lo montañero como en lo humano, ahora nos sentimos prácticamente loca-

les cuando visitamos esta cordillera. La gente nos quiere y nosotros devolvemos ese cariño con cada una de nuestras aperturas, que han sido 21 —si no me falla la memoria— desde aquel año hasta hoy.

Iker: A Perú le tenemos especial cariño, su gente, sus montañas, su cultura y un largo número de cosas. En estos momentos casi la sentimos como nuestra segunda casa, tenemos un montón de amigos allí.

Todo el mundo tiene sus imprescindibles y nos imaginamos que vosotros también. ¿Qué 5 cosas no puede faltar en vuestra mochila de salidas?

Eneko: En la mochila siempre van las gafas de sol, el protector solar, el gorro o la visera —depende la temporada— la cámara de fotos (el móvil hoy en día) y la Leatherman.

Iker: Cómo no, la Leatherman para solucionar todos los imprevistos que surjan, crema de sol por supuesto, visera, agua, móvil para las fotos y un buen bocadillo de tortilla de patata si se puede.

¿Cómo se presenta la temporada de invierno? Seguro que mentes inquietas como las vuestras tienen nuevos proyectos en marcha...

Eneko: Como todos los años trataremos de esquiar, escalar en hielo y hacer alpinismo, pero todavía está sin concretar, porque necesitamos acabar con la vorágine de conferencias, pausar un poco todo, y comenzar a pensar en los proyectos del año que viene.

Iker: Con muchas ganas de escalar en hielo y algún que otro proyecto de escalada en roca. Pero sobre todo descansar un poco para volver a car-

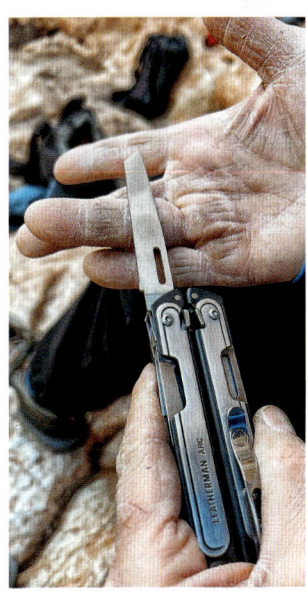

gar las pilas y pensar en alguna nueva aventura.

Como se explica en la introducción, desde hace más de 3 años, sois embajadores de la marca Leatherman, ¿qué multiherramienta recomendaríais para salidas a la montaña?

Eneko: Si es una expedición, normalmente la Signal porque para el outdoor es la más completa. Tiene 19 usos, que la hacen la multiherramienta mejor equipada para la naturaleza y la supervivencia.

Iker: Si es una salida de día la Skeletool por ser más ligera. Cuenta con 7 usos que la hacen imprescindible para trasportar en nuestra mochila.

A partir de aquí, ¿alguna situación límite en que os haya ayudado una multiherramienta?

Eneko: Me viene a la memoria los problemas que tuvimos en el año 2016 con el generador en el campo base del Baghirathi, en el Himalaya de la India, una Leatherman Wave+ nos salvó la papeleta, ya que a punto estuvimos de no poder cargar los dispositivos electrónicos.

Iker: Este mismo sin ir más lejos, durante la apertura de *Puro Floro* en los Andes. En el segundo vivac el JetBoil (hornillo) se nos estropeó y, gracias a la Leatherman, pudimos ponerlo en marcha, derretir agua para hidratarnos y poder comer algo.

Este número de *Desnivel* es el Especial de Esquí de montaña. Para finalizar, una recomendación o aprendizaje a nuestros lectores basado en vuestro *expertise* como atletas profesionales y sobre vuestras actividades vinculadas a los deportes invernales.

Eneko: Recomendar a la gente paciencia con el esquí de montaña. Cuando nosotros empezamos con ello, a finales de los 80 principios de los 90, prácticamente no salíamos hasta bien entrado el invierno, cuando las condiciones de la nieve eran mas primaverales y el riesgo de las avalanchas mucho menor. Hoy, por efecto de los videos y las redes sociales, casi todo el mundo se aventura en el fuera de pista inmediatamente después de las grandes nevadas y las estadísticas de esquiadores atrapados por aludes están ahí, y son mucho mayores que antes. Y si a esto le sumas la falsa seguridad generada por los tracs, GPS, mochilas ABS, etc, pues ahí tienes una bomba de relojería que se esta llevando por delante mucha gente al cabo del año…

Iker: Tomarse el invierno con tranquilidad, ya que es largo y vamos a tener tiempo de sobra para disfrutar de todas sus facetas. No precipitarse en las decisiones y ser pacientes. No todos los fines de semana tiene por qué haber condiciones para hacer lo que más nos gusta. Minimizar los riesgos el máximo posible y a disfrutar todo lo que se pueda.

Para más información, os invitamos a seguir sus canales de Instagram:
@hermanospou y
@leathermanespana

LEATHERMAN Skeletool® CX

La elegante Leatherman Skeletool CX se renueva lanzando nuevos colores inspirados en los elementos en la naturaleza. La multiherramienta cumple con las características de que a veces menos es más. Está equipada con una navaja de acero inoxidable de 154CM, alicates, destornillador, clip de bolsillo y mosquetón/abrebotellas. Su ligereza la hace idónea para salidas a la montaña y jornadas en bicicleta. Además, se puede enganchar a la mochila o cintura, lo que libera espacio de equipaje.

Peso: 142 g.
Longitud de la hoja: 6.6 cm.
Longitud de la herramienta cerrada: 10 cm.
Precio: 119 €
www.leatherman.es

LEATHERMAN Skeletool® KB

La Leatherman Skeletool KB es una navaja muy ligera de acero inoxidable 420H y con un tamaño compacto fácil de utilizar. Recientemente se ha lanzado en nuevos tonos. Además, se puede abrir con una sola mano y cuenta con un práctico abrebotellas incorporado en el clip. Esta familia de productos de la colección Skeletool se centra en lo imprescindible para el outdoor.

Peso: 36.8 g.
Longitud de la hoja: 6.6 cm.
Longitud de la herramienta cerrada: 8./ cm.
Precio: 50 €
www.leatherman.es

RECUPERAT iON

RECUPERAT iON

Hydrasport

Bebida hipotónica científicamente formulada para proporcionar una hidratación óptima antes, durante y después de la práctica deportiva. Este producto se distingue por su óptima concentración en sales minerales y la justa concentración en azúcar, ofreciendo así una experiencia mejorada para los deportistas. Está disponible en tres sabores: limón, fresa y naranja. Cantidad: 20 sobres.

PVPR: 26,50 € **www.recuperat-ion.com**

Gel Boost Energy

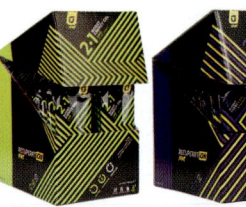

Complemento nutricional diseñado para deportistas y personas activas que necesitan una fuente de energía rápida y efectiva. Gracias a su contenido de azúcares simples (glucosa y fructosa), se absorbe rápidamente y es fácil de digerir. El gel tiene una textura ideal para facilitar su ingesta y contiene 42,4 g de carbohidratos, lo que proporciona energía inmediata y duradera durante el ejercicio. Está disponible en tres sabores deliciosos: lima, frutos rojos y cola (este último con 100 mg de cafeína). Cantidad: 24 geles.

PVPR: 59 € **www.recuperat-ion.com**

Recovery 3:1

Bebida de recuperación muscular en polvo, diseñada para atletas y deportistas que buscan una recuperación óptima después de ejercicios intensos. Con una fórmula avanzada que combina hidratos de carbono y proteínas en una proporción ideal de 3:1, este producto es esencial para una recuperación muscular rápida y efectiva. Sabor vainilla. Cantidad: 12 sobres.

PVPR: 45 €
www.recuperat-ion.com

Vitamin-T Sueño

Complemento alimenticio vegano diseñado para mejorar la calidad del sueño, reducir los efectos del jet lag o los cambios recurrentes en los turnos de trabajo. Está formulado a base de vitaminas B3, B6 y B9, que intervienen en los procesos energéticos del organismo. Además, está enriquecido con L-triptófano y con Melatonina, que ayuda a anticipar la conciliación del sueño y prolonga su efecto. Cantidad: 30 cápsulas.

PVPR: 10,98 € **www.recuperat-ion.com**

FM

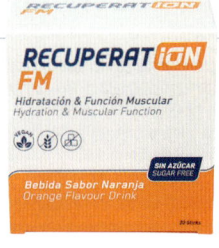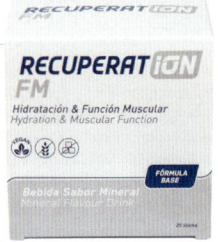

Bebida hipotónica con sales minerales científicamente formulada para proporcionar una profunda remineralización muscular. Este producto está diseñado para restablecer el equilibrio iónico y mejorar el funcionamiento muscular en diversas situaciones, como el estrés psicofísico, contracturas y calambres musculares. Es ideal para personas que experimentan molestias musculares debido a largas horas de pie, problemas posturales o periodos de inmovilidad. Está disponible en dos sabores: Mineral y Naranja. Cantidad: 20 sobres.

PVPR: 19 € (mineral), 19,25 € (naranja). **www.recuperat-ion.com**

Vitamin-T Triptófano

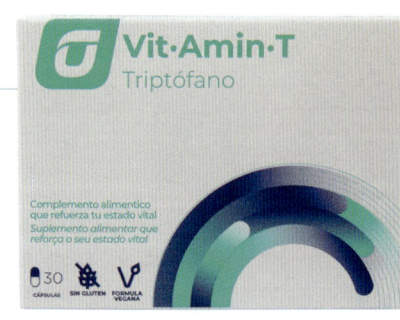

Complemento alimenticio vegano a base de vitaminas B1 y B2, que intervienen en los procesos energéticos del organismo humano. Está enriquecido con el aminoácido esencial L-Triptófano, precursor natural de la Serotonina. Este producto influye positivamente en el estado de ánimo y ayuda a combatir el malestar general y la fatiga. Cantidad: 30 cápsulas.

PVPR: 15 €
www.recuperat-ion.com

⊘ SCARPA®

⊘ SCARPA®

4-Quattro PRO

Botas de esquí híbridas con suela GripWalk más ligera del mercado, compatible con las fijaciones GripWalk tanto para el esquí alpino como para el de travesía. Sensibilidad, precisión y sostenibilidad se unen en la 4-QUATTRO SL para hacerla la bota perfecta para todo el día, tanto dentro como fuera de la pista. Una flexión de 120 proporciona el equilibrio ideal de rendimiento y comodidad para todas las actividades de esquí. Carcasa fabricada en Grilamid Bio y manguito realizado con Pebax Rnew®, ambos materiales procedentes de fuentes renovables. Bloqueo de velocidad seguro 4 fabricados en aluminio con doble sistema de cierre, asegura el bloqueo en posición de esquí incluso a altas velocidades, altos impactos y condiciones extremas. Tecnología Recco.

Peso: 1555 g (talla 27). **PVPR:** 899 € www.scarpa.com

4-Quattro SL

Bota de esquí híbrida con suela GripWalk más ligera del mercado, compatible con fijaciones GripWalk tanto para esquí alpino como para esquí de travesía. Sensibilidad, precisión y sostenibilidad se unen en esta bota perfecta para todo el día, tanto dentro como fuera de pista. Su Flex de 120 proporciona el equilibrio ideal entre rendimiento y comodidad. Construcción Alpine Axial Hybrid que permite el ajuste y la precisión de una bota de esquí clásica, una excelente transmisión y un control sin igual. Suela Presa® SKI-01 de diseño ergonómico. Carcasa y caña de Pebax Rnew®, producido a partir de fuentes renovables de origen vegetal. El Power Strap no contiene PVC. RECCO® integrado.

Peso: Hombre 1430 g (talla 27). Mujer 1290 g (talla 25). **PVPR:** 749 € www.scarpa.com

Maestrale

Desde que MAESTRALE debutó en el mercado, se consideran las botas ideales para esquiadores de montaña de todos los niveles. Su confort inmediato proporcionado por el botín interior termoformable y el diseño más cómodo garantizan un esquí sin preocupaciones en cualquier tipo de camino. El inserto de carbono (teclonogía Carbon Core) en la carcasa logra un alto nivel de control, precisión y un dinamismo excelente, a la vez que la mantiene como la bota más liviana del mercado. Hecha con Pebax Rnew®, un material procedente de fuentes renovables y sin PVC. Plantilla Ortholite hecha de materiales reciclados.

Peso: Hombre 1380 g (talla 27). Mujer 1220 g (talla 25). **PVPR:** 699 € www.scarpa.com

Maestrale RS

Botas ideales para esquiadores expertos que buscan rendimiento sin sacrificar la comodidad. La gran flexión y su amplio rango de movimiento al caminar son sus puntos fuertes. Diseñada con una perspectiva sostenible, libre de PVC, está fabricada con Grilamid Bio y Pebax Rnew®, ambos procedentes de fuentes renovables, y con plantilla Ortholite de materiales reciclados. Sistema de cierre Axial Hybrid integrado con el Wave Closing Lite, reduciendo peso y dimensiones. Se adapta de forma precisa a todo tipo de pies. Las inserciones de carbono en carcasa y caña aportan una elevada torsión y rigidez longitudinal, asegurando la precisión y el control.

Peso: Hombre 1460 g (talla 27). Mujer 1300 g (talla 25). **PVPR:** 769 € www.scarpa.com

Alien

Bota perfecta para corredores de skimo, tanto para carreras como entrenamiento, y para todo el que busque un buen equilibrio entre rendimiento y precio. Es un modelo ligero, técnicamente avanzado, que representa el cruce perfecto entre el mundo de las carreras y el del esquí de montaña ligero. Polaina fabricada con un material extremadamente resistente que aporta protección y aislamiento. Cierre de Velcro que facilita ponerse/quitarse la bota. Innovadora solución de ajuste customizable y orientada al rendimiento. El sistema de cierre BOA® activa directamente el botín interior para un ajuste mejorado y una mayor sensibilidad. Fabricada con Carbon Grilamid® LFT (carcasa) y Grilamid Fiber Glass LFT® (caña).

Peso: Unisex 870 g. **PVPR:** 699 € www.scarpa.com

Alien 1.0

Bota ideal para todos esquiadores de montaña orientados al rendimiento. Ya sea compitiendo en la Pierra Menta o en una larga jornada de entrenamiento en la montaña, la comodidad, la protección y la agilidad están garantizadas por su buen ajuste, materiales y construcción. Fabricada con un material extremadamente duradero que combina protección y aislamiento. El cierre de Velcro® facilita ponerse/quitarse la bota. Carcasa fabricada con Carbon Grilamid LFT®, una poliamida reforzada que mejora las propiedades del Grilamid®, logrando reducir el volumen de la carcasa y por tanto menos peso con un rendimiento superior. Protección total, calor y durabilidad.

Peso: Hombre 785 g (talla 27). Mujer 735 g (talla 25). **PVPR:** 1.099 € www.scarpa.com

F1 LT

Bota de travesía versátil más ligera de la marca, diseñada para un buen rendimiento tanto en ascensos como en descensos exigentes. Compacta y cómoda, presenta un sistema de cierre fácil de manejar y eficaz: BOA® Fit System, que garantiza una conexión sin ni puntos de presión, logrando una agilidad, respuesta y control mejorados. El Carbon Grilamid® LFT ofrece una increíble relación potencia/peso, mientras el sistema 3D Lambda Torsion Frame aumenta la estabilidad lateral, además de reducir el volumen y peso de la bota. Speed Lock Ski/Walk preciso y fácil de usar. Polaina impermeable. Botín Intuition® Cross Fit Tour LT. Sist. RECCO®. Suela Vibram® UFO RS.

Peso: Hombre 990 g (talla 27). Mujer: 930 g (talla 25). **PVPR:** 799 € www.scarpa.com

F1 GT

Bota esencial y cómoda, apta para esquí de montaña técnico con un equipo ligero. El sistema de cierre Wave Lite Closure y la nueva polaina Overlap Shield Tech permiten un ajuste eficaz sin puntos de presión, así como una puesta fácil y una protección optimizada, a la vez que mantiene el peso bajo. La carcasa y caña están hechas con Grilamid FG LFT® reforzada con fibras de vidrio largas, lo que aumenta su rigidez y su resistencia a los impactos. El diseño 3D Lambda Frame mejora la estabilidad lateral. La polaina Overlap Shield Tech, hecha con Lycra y refuerzos inyectados, garantiza una gran protección y es fácil de ajustar con solapas y velcro. Botín termoformable Tour LT2.

Peso: Hombre 1165 g (talla 27). Mujer 1075 g (talla 25). **PVPR:** 749 € www.scarpa.com

MOCHILAS que se adaptan a tus giros

Analizamos las principales innovaciones introducidas en las mochilas para esquiar dirigidas a adaptarse al movimiento del esquiador, de forma que se logre un mayor control de la carga y por tanto más estabilidad, especialmente en los descensos. Sistemas como los basculantes o las suspensiones activas son cada vez más habituales en este tipo de mochilas.

Vamos a analizar las mochilas para esquiar que se adaptan a tus giros, centrándonos en los sistemas de espalda, algunas innovaciones recientes y cómo estas características afectan el peso, volumen y precio en comparación con las mochilas tradicionales.

La importancia de un buen sistema de espalda

El sistema de espalda en una mochila de esquí es fundamental, ya que es la parte que entra en contacto directo con el cuerpo y distribuye el peso de manera equilibrada. A diferencia de las mochilas tradicionales, las mochilas de esquí deben ofrecer una combinación de soporte y adaptabilidad flexible que permita a los esquiadores realizar los movimientos de flexión y extensión, girar y reaccionar a las variaciones del terreno sin que la mochila se convierta en un obstáculo.

Las mochilas convencionales suelen tener sistemas de espalda rígidos cuya principal función es la de transmitir la carga a la zona lumbar y, en su caso, separar la mochila de nuestra espalda para favorecer la aireación, pero todos ellos están pensados para trekking o actividades donde el movimiento es más pausado. En cambio, las mochilas para esquiar han adoptado tecnologías que, manteniendo la rigidez del armazón para transmitir la carga, mejoran la movilidad, re-

S I bien la ergonomía es clave en la elección de una mochila y más tratando de versiones hombre o mujer, donde tanto el tamaño de las espaldas de la mochila como la forma adaptada de tirantes y cinturón lumbar están pensados para cada sexo, lo cierto es que más allá de esta diferenciación no son muchas las marcas que apuestan por modelos con accesorios diseñados específicamente para una adaptabilidad extrema al movimiento.

Sin embargo, el esquí en cualquiera de sus modalidades es una actividad que demanda precisión, fluidez y agilidad. Ya sea deslizándote por una pista recién pisada o aventurándote en el backcountry en busca de nieve virgen, la libertad de movimiento es crucial para mantener el control y disfrutar del descenso. Cuando añadimos peso y volumen en actividades de varios días, la

COL PEAK PERFORMANCE

adaptación al movimiento alcanza una importancia primordial. En este contexto, las mochilas diseñadas específicamente para el esquí han evolucionado, con especial atención en los sistemas de espalda, para garantizar que quien esquía pueda maniobrar con agilidad, sin sentir que lleva una carga que le resta movilidad o seguridad.

ducen el peso innecesario y ofrecen un ajuste ergonómico. Aquí es donde las innovaciones más recientes han revolucionado la forma en que los esquiadores y esquiadoras interactúan con su equipo.

Aunque el volumen total de la mochila puede ser similar al de las mochilas tradicionales, el espacio está optimizado y compartimentado para llevar equipamiento esencial como el DVA, sonda y pala, manteniendo un perfil compacto. En cuanto al peso, los fabricantes han logrado mantener estas mochilas ligeras, gracias al uso de materiales como el nailon de alta resistencia o polímeros ligeros, pero sin sacrificar durabilidad.

Sistemas de espalda adaptativos

Uno de los avances más notables en mochilas de esquí son los sistemas de espalda que se adaptan al movimiento del cuerpo. Estas mochilas integran estructuras flexibles, capaces de seguir los movimientos del esquiador, ya sea durante un giro pronunciado o un cambio de dirección abrupto.

1. Sistemas basculantes

Una de las innovaciones más destacadas son los sistemas de ajuste basculante. Se trata de piezas independientes entre sí que flexionan y basculan sobre los puntos de contacto de nuestra espalda, principalmente en la cadera y las escápulas. Varias marcas tienen sistemas análogos, entre los que destacan Arc'Teryx con el sistema RotoGlide de cinturón lumbar basculante sobre un eje en el centro y Millet con el sistema Free-Flex, una tecnología que introduce un panel de espalda segmentado que se flexiona en diferentes puntos.

Estos sistemas permiten que la mochila se "doble" junto con el torso y las caderas del esquiador, facilitando los movimientos laterales sin comprometer el equilibrio. Este tipo de mochilas es ideal para el esquí en pendientes pronunciadas o el freeride, donde los movimientos son más bruscos y el control del cuerpo es esencial.

El precio de las mochilas con sistema basculante es superior al de una mochila convencional, debido a la investigación y desarrollo detrás de la tecnología y los materiales avanzados que se utilizan. Sin embargo, este precio adicional se ve compensado con un aumento significativo en la comodidad y rendimiento.

2. Sistemas de espalda ventilados y ajustables

Aunque en origen no fueran diseñados para ser adaptables al movimiento, lo cierto es que las mochilas con ventilación en el sistema de espalda se ciñen ergonómicamente a la gestualidad del esquí, siendo especialmente adecuadas para esquiadores de travesía o aquellos que combinan el esquí con ascensos lar-

ERIC DELAPERRIERE

JORGE GARCÍA-DIHINX

gos y exigentes. Los sistemas de espalda ventilados, como el Aircontact de Deuter o el Backpanel de Ortovox, utilizan canales de aire y materiales transpirables para mantener la espalda fresca y seca durante el esfuerzo físico. Además, algunas mochilas incluyen paneles ajustables que permiten cambiar la longitud del respaldo para adaptarse a diferentes tipos de cuerpo.

Estos sistemas de ventilación añaden un valor significativo para quienes realizan actividades de larga duración, pero es importante hacer notar que tienden a reducir bastante el volumen respecto a las mochilas sin este tipo de ventilación. Esta disminución del litraje respecto al volumen total de la mochila puede ser un factor a considerar, sobre todo en mochilas de mayor capacidad. En términos de pre-

Arriba, descenso del Lochberg, con vistas a los Alpes de Urner (Suiza). A la izquierda, en una ascensión pirenaica de esquí de montaña. Debajo, distintos sistemas de espalda de mochilas (no todas específicas de esquí) que se adaptan al movimiento. De izquierda a derecha: Cirque 22 de Black Diamond, Bora AR50 de Arc'teryx, Freerider Lite 20 de Deuter, Matrix 30 de Millet y Aenergy ST 20-25 de Mammut.

Peso y volumen: ¿cómo afectan al rendimiento?

Ya hemos comentado en la introducción a este artículo que uno de los factores más determinantes a la hora de elegir una mochila para esquiar es el peso. Aunque los sistemas de espalda avanzados pueden mejorar el confort y la movilidad, no hay que olvidar que cualquier peso adicional impacta directamente en el rendimiento, especialmente en subidas largas o cuando se esquía en terrenos técnicos. Las mochilas de esquí ultraligeras modernas con de pequeña capacidad priorizan la ligereza y están diseñadas para quienes buscan rapidez y eficiencia.

Estas mochilas suelen carecer de sistemas de espalda complejos o muy ajustables, lo que puede reducir el confort en actividades prolongadas, pero para esquiadores de travesía rápida o competidores, el ahorro de peso es un punto clave. Además, las mochilas ligeras tienden a tener menos capacidad de carga, lo que puede ser una desventaja si se necesita llevar equipo adicional como crampones, cuerda o ropa de abrigo extra.

Por otro lado, las mochilas de esquí más voluminosas, diseñadas para expediciones de varios días o para freeride en terrenos difíciles, suelen ofrecer sistemas de espalda más sofisticados, pero a costa de un peso mayor. En estos casos, el compromiso entre capacidad de carga, confort y maniobrabilidad es crucial.

Hay fabricantes que han apostado por un híbrido entre chaleco de trail running y mochila para los modelos de esquí de travesía, como la Cirque 22 de Black Diamond (foto abajo). A la hora de escoger la nuestra, es fundamental valorar la capacidad de carga que vamos a necesitar en nuestras salidas, ya sea de uno o varios días.

COL. JAVI BUENO

cio, estas mochilas suelen estar en un rango medio-alto, ya que los sistemas de ventilación requieren un diseño complejo y materiales adicionales.

3. Suspensiones activas

Una de las innovaciones más interesantes en el diseño de mochilas para esquí es la introducción de sistemas de suspensión activa. Estas mochilas cuentan con una estructura interna que ajusta automáticamente la distribución del peso según la inclinación del cuerpo del esquiador mediante correas para los hombros que se deslizan a través del panel trasero, liberando parcialmente a los hombros del peso y la presión. Marcas como Bergans o Black Diamond fueron pioneras en este campo con unos sistemas que adaptan la carga de modo sincrónico a nuestro movimiento, lo que permite mantener un centro de gravedad estable y evitar que la mochila nos desequilibre en giros o saltos.

Estos sistemas son especialmente útiles en situaciones extremas, como descensos a alta velocidad o en terrenos muy accidentados. Sin embargo, esta tecnología tiene un coste, tanto en términos de precio como de peso. Las mochilas con suspensión activa suelen ser más caras debi-

ERIC DELAPERRIERE

COL. HAGLÖFS

do a la complejidad de su diseño, y también más pesadas, lo que podría no ser ideal para esquiadores que buscan la mayor ligereza posible. Dicho esto, el beneficio en términos de rendimiento y seguridad es significativo, especialmente para quienes practican freeride o esquí de montaña en condiciones difíciles.

El futuro de las mochilas adaptativas para esquí de travesía

No suele ser el esquí de travesía una actividad en la que se opte por añadir más piezas y más peso a nuestra equipación para mejorar variables como el confort. Más bien al contrario, lo habitual suele ser buscar productos minimalistas hasta el extremo en los que la comodidad o la ergonomía suelen quedar en un plano muy secundario.

Las mochilas de esquí han evolucionado significativamente en los últimos años, con sistemas de espalda adaptativos, tecnologías de suspensión activa y mejoras en la ventilación que las hacen más cómodas y funcionales para los esquiadores. Si bien las innovaciones como los sistemas de suspensión activa pueden aumentar el peso y el precio, hemos visto que estas variables son aceptadas en otros supuestos como las

mochilas con airbags integrados, ya que ofrecen una mayor seguridad y rendimiento, especialmente en situaciones extremas.

No sería descartable pues, que la por ahora escasa introducción de sistemas de espalda ergonómica y adaptativa vaya aumentando según vayan teniendo éxito entre quienes comprueban cómo mejora la esquiabilidad y la comodidad cuando tenemos que cargar demasiado peso.

Para quienes priorizan la ligereza y la velocidad, las mochilas minimalistas siguen siendo una opción preferente, aunque menos cómodas en actividades prolongadas. Al final, la elección de la mochila dependerá del tipo de esquí que practiques y de tu equilibrio entre rendimiento, confort y seguridad.

Redacción DESNIVEL

COL. MILLET

Con once estaciones de esquí alpino y nórdico, además de numerosas opciones para el esquí de travesía, las comarcas de Lleida se consolidan como un destino privilegiado para los meses más fríos del año. A su amplia oferta de ocio activo se suman otros atractivos como la gastronomía, la cultura y un paisaje de ensueño.

PIRINEO LLEIDANO:
INCOMPARABLE DESTINO INVERNAL
ESQUÍ Y MUCHO MÁS

Disfrutando del esquí Port Ainé, una estación en la que prevalecen las pistas orientadas al norte, garantizando una nieve de calidad hasta el final de la temporada.

Ya sea esquí alpino, esquí de travesía, freeride, raquetas de nieve... Cuando se cubren de blanco, las montañas de Lleida son sinónimo de diversión para los amantes de los deportes de invierno. Son también un importante motor económico de los valles de montaña, que han apostado por el deporte sostenible, preservando el entorno y minimizando su huella ambiental.

A la cabeza de las estaciones está Baqueira Beret, entre la Val d'Aran y el Pallars Sobirà, referente estatal y europeo de los deportes de invierno, especialmente del esquí alpino, que este mismo invierno cumple sesenta años de historia. Esta temporada volverá a acoger una prueba del

Freeride World Tour con los mejores corredores de esquí y de surf sobre nieve y, por primera vez, organiza la Copa de Europa FIS de Eslalon en el Stadium de Beret.

En la Alta Ribagorça, la estación de Boí Taüll ofrece la cota esquiable más alta de todo el Pirineo, con la cima del Puig Falcó (2.751 metros). Sus abundantes nevadas, influenciadas por el clima atlántico, hacen las delicias de los esquiadores, sobre todo de los esquiadores de montaña y de freeride, incluyendo distintos itinerarios señalizados dentro de su dominio esquiable. También esta estación volverá a situarse esta temporada en el calendario internacional deportivo, con la celebración de las pruebas de esprint y relevos mixtos de la Copa del Mundo de esquí de montaña ISMF; ambas disciplinas serán olímpicas en los Juegos Olímpicos de Invierno de Milán-Cortina d'Ampezzo 2026.

Las instalaciones de Espot y Port Ainé, en el Pallars Sobirà, son el destino idóneo para familias y grupos de amigos. En ellas confluyen la tradición de los deportes de aventura en un entorno privilegiado y rodeado de un patrimonio cultural y humano de incalculable valor. Sus altas montañas son un refugio de especies amenazadas, por lo que las dos estaciones de montaña promueven durante la temporada talleres de educación ambiental y acciones para proteger el medio ambiente y luchar contra el cambio climático. En cuanto a Port Ainé, casi la totalidad de sus pistas están orientadas a la cara norte, lo que garantiza una nieve de calidad hasta el último día de la temporada. Por su parte, la estación de Espot complementa sus actividades con la pista de tubbing, con un recorrido de unos 150 metros de largo y dos peraltes, mientras que los que deseen adentrarse en el Parque Nacional de Aigüestortes y Estany de Sant Maurici lo tendrán muy fácil, puesto que la estación se encuentra a las puer-

TOT NORDIC

RICARD BADIA

ORIOL CLAVERA

JORDI RULLÓ

tas de ese paraíso natural, donde en invierno parece que el tiempo se detenga.

También en el Pallars Sobirà se encuentra la estación de Tavascan, una de las estaciones de montaña más familiares del Pirineo, con el refugio de la Pleta del Prat como epicentro, que es el punto de partida de un buen puñado de excursiones de alpinismo invernal. Además de circuitos de esquí alpino, la estación suma 14 kilómetros de pistas de esquí nórdico.

No puede faltar en el recorrido la estación de Port del Comte, en el Solsonès. Es el complejo turístico invernal más austral de Cataluña, que se ha especializado en el público familiar y se encuentra a menos de una hora y media de Barcelona. Año tras año apuesta por la sostenibilidad medioambiental, modernizando sus sistemas de producción de nieve y tratando con especial cuidado los trazados de sus pistas.

Las estaciones leridanas que forman parte de la Mancomunidad Tot Nòrdic están ubicadas en las cabeceras de valles idílicos en las comarcas de la Cerdanya, el Alt Urgell y el Pallars Sobirà. Los circuitos de Lles de Cerdanya transcurren por frondosos bosques de pino negro, y su conexión con Aransa, también en la Cerdan-

ORIOL CLAVERA

ya leridana, convierte este dominio en el mayor para la práctica del esquí nórdico en Cataluña, con unos 70 km de pistas. En cuanto a Sant Joan de l'Erm, que se encuentra en el Alt Urgell y dentro del Parque Natural del Alt Pirineu, es un santuario de calma rodeado de espectaculares bosques de abetos, abedules y pinos negros, y desde el refugio de la Basseta na-

Arriba, esquí nórdico en la estación de Sant Joan; en un trineo de perros en Port del Comte; y relax en el balneario de Sant Vicenç.
El pueblo de Taüll con Sant Climent y Santa Maria, incluidas en el conjunto de iglesias románicas del Valle de Boí, Patrimonio de la Humanidad. Derecha, haciendo travesía por el Coll de Caldes, en el Parque Nacional de Aigüestortes i Estany de Sant Maurici.

cen rutas para perderse en medio de los ruidos del bosque invernal.

En la cara norte del macizo del Port del Comte, en la vertiente del Alt Urgell, y con unas magníficas vistas al Pedraforca y la sierra del Cadí, se encuentra la estación de Tuixent - La Vansa, que ofrece circuitos de todos los niveles para la práctica del esquí nórdico. Y, en el Pallars Sobirà, las pistas de Virós-Vallferrera también transcurren por parajes de gran interés natural, con el refugio del Gall Fer, abierto todo el año, como epicentro. Un lugar ideal para descansar, disfrutar de una buena comida o contemplar sus bellas vistas panorámicas.

Paisaje y desarrollo sostenible

Más allá de la nieve, hay una amplia variedad de posibilidades para disfrutar del Pirineo de Lleida en los meses invernales. Su espectacular paisaje y entorno natural invita a recorrer sus senderos, que se adentran en algunas de las zonas más bellas de toda la cadena montañosa, como es el Parque Nacional de Aigüestortes y Estany de Sant Maurici o de los parques naturales del Alt Pirineu y del Cadí-Moixeró. También ofrece escenarios de postal la Val d'Aran, que ha sido recientemente reconocida como Reserva de la Biosfera de la Unesco, reafirmándose como un lugar excepcional para la conservación de la biodiversidad natural y cultural. En la misma línea, el Pirineo y las Tierras de Lleida han recibido el reconocimiento Biosphere Gold Destination, otorgado por el Instituto de Turismo Responsable.

Cultura, gastronomía y más...

El valle de Boí, con sus iglesias románicas declaradas Patrimonio de la Humanidad, o la imponente Seu Vella, que dibuja el perfil urbano de la capital, son solo algunos ejemplos del valioso patrimonio arquitectónico y cultural del territorio. Destacan también vestigios de otras civilizaciones, como el poblado ibérico de los Vilars d'Arbeca, en Les Garrigues, o el pueblo medieval de Guimerà, un conjunto histórico-artístico que transporta a quien lo visita a una época ya pasada. Pintorescos y ricos museos como el Museo de los Vestidos de Papel de Mollerussa o el Musèu dera Nhèu, así como visita a castillos y otras actividades que invitan a la inmersión en la vida rural de los pueblos, tienen igualmente su espacio reservado en el menú turístico.

También los apasionados de la astronomía tienen una cita obligada en el Parque Astronómico del Montsec, en Àger, un lugar idóneo para gozar de la inmensidad del cosmos. Y los amantes de las rutas en bici, del avistamiento de aves o de la fotografía de la naturaleza se sentirán inspirados por las muchas oportunidades que encontrarán en el Pirineo de Lleida. Lo que seguro que nadie querrá perderse es la degustación de las riquezas gastronómicas de estas tierras, con platos como la olla aranesa, la girella, el civet de jabalí o el trinxat, imprescindibles para saborear el carácter singular de estas comarcas.

La amplia oferta de alojamientos para todos los gustos y todos los bolsillos -desde campings, apartamentos, casas rurales o lujosos hoteles- , unido a la hospitalidad de sus habitantes, completan el Pirineo de Lleida como un lugar a disfrutar en cualquier época del año.

Más información:

www.aralleida.com

Meteor Ski-Alp Stormfleece Pro® Jacket

Chaqueta técnica multifuncional para skimo y alpinismo. Confeccionada con el innovador STORMFLEECE™ PRO, con un 69% de origen reciclado, es una prenda ALL-WEATHER Resistant: resistente al agua, cortaviento, tiene una buena protección térmica, alta transpirabilidad y es extremadamente ligero. Además, ofrece un muy buen ajuste al cuerpo al ser elástico en las 4 direcciones. Amplios bolsillos en el pecho con solapa interior para pieles u otros elementos de acceso rápido.

Peso: 325g (S). **Tejido:** STORMFLEECE PRO® 69% Poliéster Reciclado, 23% Poliéster, 8% Spandex 4 way stretch. BLUESIGN®.
PVP: 129,90 €
www.os2o.com

Meteor Ski-Alp Stormfleece Pro® Pants

Pantalones técnicos para alpinismo y skimo, confeccionados con el innovador tejido reciclado monocapa STORMFLEECE PRO® cortaviento, repelente al agua, que ofrece alta transpirabilidad y aislamiento térmico. Cintura elástica compatible con arnés, polaina interior para una excelente sujeción en la bota. Refuerzos en tobillos con tejido Kevlar® y fibra de vidrio anticorte y antipinchazos de crampón. Cremalleras YKK® Vislon™. Tratamiento exterior repelente de agua DWR. Disponible en patrón de hombre y mujer.

Peso: 295 g (S). **Tejido:** STORMFLEECE PRO® 69% Poliéster Reciclado, 23% Poliéster, 8% Spandex 4 way stretch. BLUESIGN®. **Refuerzo:** 32% Kevlar®, 11.7% Poliéster, 15.6% Fibra de vidrio, 40.7% Poliuretano.
PVP: 149,90 €
www.os2o.com

HDry® Waterproof Gloves

Guantes impermeables ligeros para alpinismo y esquí de montaña que combinan alta protección frente al agua con máximo tacto y sensaciones. Palma en piel adherente con zonas reforzadas. La membrana HDry® (19k/30k) y su patentada tecnología de laminado, permite unir todos los tejidos que componen el guante, impidiendo la entrada de agua, proporcionando una alta transpirabilidad y una precisión con los dedos excelente a la vez que una buena durabilidad.

Peso: 103 g (S). **Tejido:** Membrana HDry®, 100% Poliuretano. 19 000 mm Impermeabilidad, 30 000 gr/m²/24h transpirabilidad (JIS L1099 B1). Certificado OEKO-Tex. **Tejido exterior:** Nylon (93%) y Elastano (7%). DWR PFC-Free. **Palma:** piel de cabra, certificación Gold (LWG). **PVP:** 89,90 €   **www.os2o.com**

Sorona® Insulation Pants

Cubre pantalones largos diseñados para brindar el máximo aislamiento térmico y resistencia. Fabricados en nylon duradero y 100% cortaviento, incluyen un relleno de fibra Sorona® DuPont de 80 g que asegura una óptima retención de calor. Las cremalleras laterales YKK® Vislon™ a lo largo de toda la pierna permiten una colocación rápida y sencilla, incluso con botas puestas. Tratamiento DWR y refuerzo en el bajo que proporciona protección extra contra el roce de las botas. Ideales como capa complementaria sobre pantalones de alto rendimiento en tus aventuras invernales más exigentes.

Peso: 248 g. **Tejido:** 100% Nylon rip stop 15D x 15D. **Relleno:** Biopolímero 100% Poliéster Sorona® DuPont® 80g y 60g en la zona trasera. **PVP:** 99,90 €
www.os2o.com

CIMALP

CIMALP

Chaqueta MERU

Chaqueta de plumón ligera y cálida. El aislamiento de plumas responsables CimaCuin® de 800 cuin proporciona un confort térmico superior, mientras que el relleno hidrofugado mantiene su eficiencia incluso en ambientes húmedos. El tejido exterior de poliamida reciclada refleja el compromiso de CIMALP con la sostenibilidad. Equipado con detalles técnicos como bolsillos elevados y capucha ajustable compatible con casco, este modelo es ideal para quienes buscan rendimiento sin comprometer la movilidad o el respeto por el medio ambiente.

Tecnología: CIMACUIN®. **PVPR:** 219,90 €. **www.cimalp.es**

BARETTI segunda capa

Chaqueta polar de CIMAGRID y PRIMALOFT®. Esta chaqueta polar representa la fusión perfecta entre innovación y eficiencia térmica para los apasionados de la montaña. Diseñada con el exclusivo tejido CIMAGRID®, su estructura geométrica optimiza la retención de calor sin comprometer la transpirabilidad, ofreciendo una regulación térmica óptima en condiciones frías. Incorpora aislamiento Primaloft®, un material ultraligero y de alta capacidad térmica que mantiene el calor, ideal para mantener la comodidad en todo momento.

Tecnología: CIMAGRID y PRIMALOFT®. **PVPR:** 135 €. **www.cimalp.es**

SEAMLESS HOOD primera capa

Ropa interior térmica sin costuras. Esta primera capa sin costuras ofrece máxima libertad de movimiento y confort térmico en condiciones extremas. Su tejido elástico y transpirable regula la temperatura y evacúa el sudor, manteniendo el cuerpo seco. Incorpora una capucha ajustada para mayor protección y zonas de compresión que mejoran el soporte muscular. Ideal para deportes de nieve y montaña.

Tecnología: POLYGIENE®.
PVPR: 89,90 €
www.cimalp.es

Pantalón PITON

Pantalón Softshell con aberturas laterales y reflector RECCO®. Diseñado para los esquiadores más exigentes, este pantalón combina resistencia y confort térmico. Fabricado en un tejido softshell impermeable y cortaviento, ofrece una protección confiable contra las inclemencias del tiempo sin limitar la movilidad. Sus aberturas laterales permiten una ventilación ajustable, optimizando la transpirabilidad durante el esfuerzo físico. Con refuerzos en áreas clave para mayor durabilidad y un ajuste ergonómico, este pantalón es la elección perfecta para esquiadores que buscan rendimiento y comodidad en sus aventuras de alta montaña.

Tecnología: RECCO® y SOFTSHELL.
PVPR: 139,90 €
www.cimalp.es

Pantalón BERGEN

Pantalones de montaña de invierno. La elección ideal para expediciones en climas fríos y desafiantes. Fabricado en softshell de alto rendimiento, combina aislamiento térmico con una excelente resistencia al viento y la humedad, manteniéndote cómoda y seca en condiciones extremas. Su diseño elástico en cuatro direcciones asegura una libertad de movimiento superior, mientras que los refuerzos en las zonas de mayor desgaste maximizan su durabilidad. Perfecto para senderismo y alpinismo en invierno, este pantalón equilibra protección, comodidad y rendimiento.

Tecnología: Tejido 3D-FLEX® 100% Stretch y Tratamiento DWR. **PVPR:** 74,90 €
www.cimalp.es

Guantes HERCULE

Guantes para el frío extremo. Diseñados para enfrentar temperaturas gélidas, estos guantes combinan un aislamiento térmico superior con una excelente destreza. La capa exterior en membrana ULTRASHELL® impermeable, transpirable y cortaviento proporciona protección integral frente a los elementos, mientras que el forro de Primaloft Gold® asegura el máximo calor en condiciones extremas. Su diseño ergonómico, junto con la palma reforzada en piel de cabra, ofrece un agarre firme y gran durabilidad, convirtiéndolos en la elección ideal para actividades intensas en entornos invernales exigentes.

Tecnología: ULTRASHELL® y PRIMALOFT®. **PVPR:** 99,90 €
www.cimalp.es

Guantes TOURING

Guantes 2 en 1. Con un diseño modular inteligente, este modelo combina un guante interior ligero y transpirable, perfecto para esfuerzos intensos, con una cubierta exterior WINDPROTECT® resistente al viento y al agua, que aporta protección térmica adicional en climas duros. Su configuración permite un ajuste rápido a los cambios de clima, optimizando la comodidad y la destreza sin comprometer la movilidad.

Tecnología: WINDPROTECT®.
PVPR: 49,90 €. **www.cimalp.es**

Máscara MAX FLY

Gafas Ultraligeras CIMALP x Pomoca. Estas gafas ultraligeras son una edición especial creada en colaboración con Pomoca para conmemorar el regreso a la competición de Matteo Eydallin tras su accidente en Pierra Menta. Diseñadas para el esquí de montaña y parapente, combinan un peso mínimo (45 g) con una protección óptima contra los rayos UV y el deslumbramiento en condiciones de alta altitud. Con tecnología avanzada para minimizar el empañamiento y optimizar la ventilación, estas gafas ofrecen un ajuste ergonómico y cómodo que se adapta a movimientos intensos.

Peso: 45 g (TU). **PVPR:** 149,90 €
www.cimalp.es

Ridge 95 SKI Set

El nuevo set Ridge 95 es ideal para los esquiadores de travesía orientados al descenso, con mentalidad de freerider, pero que a la vez buscan rapidez en el ascenso. El set se compone del esquí Ridge 95, la fijación Ridge Long Travel y las pieles. Desembalar y esquiar.

Características: Flexión direccional. Pared lateral completa. Radio único. Punta fina. Impulso de titanio. Peso: 1590 g (160). Parte superior con corte lateral: 127 mm (160). Corte lateral medio: 93 mm (160). Corte lateral inferior: 114 mm (160). Radio A: 17 m (160). Balancín de punta: 370 mm (160). Balancín de cola: 260 mm (160). También disponible en 168, 176 y 184 cm.

PVPR: 1.600 € **www.dynafit.com**

Ridge PRO Boot M

Bota de alta gama en el ámbito de la travesía, que ofrece la fusión perfecta de alpinismo de velocidad y free touring, con un rendimiento impresionante tanto en subida como en bajada. Su revolucionaria construcción patentada de la "lengüeta flotante" garantiza comodidad. Con un dial de ajuste de fácil manejo, puedes personalizar el volumen de forma tridimensional y con gran precisión. La caña y la carcasa se unifican en una unidad completamente entrelazada. El uso de Grilamid con carbono hace que sea ligera, pero a la vez muy duradera y rígida.

Suela de bota: Vibram. **Cierre:** sistema HOJI. **Rotación:** 70°. Doblar: 120. **Inclinación:** 12° - 15°. **Peso:** 1250 g.

PVPR: 495 € **www.dynafit.com**

Ridge Binding

Esta revolucionaria fijación ha sido desarrollada para descensos potentes y subidas que ahorran energía. Con la ayuda de la unidad de talón patentada Easy-Turn-Tech, es la única fijación de travesía del mercado que permite una rotación totalmente sin esfuerzo desde la posición de subida a la de descenso. Con la amplia horquilla de tensión y las Step-In Side Towers, los atletas pueden ponerse la fijación con precisión. El tope de punta de titanio delantero detiene la bota a la altura de los pins y la coloca así en una posición ideal para sujetar la fijación. Los Ice Breaker Pins mantienen la nieve y el hielo fuera de las plantillas. Los valores de liberación lateral y vertical se pueden ajustar de DIN 4 a 12. El freno patentado se ha desarrollado para que nunca se active por error.

Materiales: Aluminio, acero inoxidable. **PVPR:** 550 €
www.dynafit.com

Ridge 26 Backpac

Con diseño minimalista, pero a la vez completamente equipada, esta mochila de esquí de travesía es ideal para salidas de un día en terreno montañoso. Tiene un espacioso compartimento principal, un compartimento separado para el equipo de seguridad y un compartimento para accesorios con un práctico divisor para gafas. Puedes guardar tus crampones en otro compartimento separado. El equipamiento se completa con una red para casco integrada y posibilidades de fijación para dos piolets y una cuerda. Gracias al cómodo y bien ventilado sistema de transporte, la Ridge 26 se adapta de forma segura y cómoda a la espalda, incluso en recorridos exigentes.

Materiales: Tejido antidesgarro de nailon Cordura reciclado de 210 D y tejido antidesgarro de nailon Robic® de 330 D. **PVPR:** 190 € **www.dynafit.com**

Ridge GTX JKT M

Carcasa rígida de GORE-TEX Performance con una impermeabilidad de 28 000 mm y tratamiento DWR sin PFC. Se distingue por su excelente transpirabilidad para que no te sobrecalientes durante una actividad intensa. Cremalleras de ventilación en las axilas para una regulación adicional de la temperatura corporal. Cuenta con dos bolsillos delanteros estratégicamente ubicados a los que puedes acceder incluso cuando llevas una mochila. Dos bolsillos interiores de malla ofrecen espacio para objetos objetos pequeños. Un faldón para nieve minimalista, puños ajustables y una capucha compatible con casco completan este diseño inteligente.

PVPR: 500 € **www.dynafit.com**

Ridge Ultralight Down JKT M

Ya sea para descansar en la cima o como capa extra en temperaturas especialmente frías, esta cálida chaqueta aislante no puede faltar en ninguna mochila para su uso en la montaña. La chaqueta Ridge Ultralight Down fue desarrollada para que puedas seguir siendo liviano, eficiente y compacto en las salidas. Ofrece una calidez extraordinaria y destaca por su excelente confort. Al mismo tiempo, es extremadamente ligero y se comprime muy pequeño para caber en cada mochila.

PVPR: 360 €
www.dynafit.com

Ridge DST PNT M

Para garantizar que seas rápido y eficiente en la subida, tu ropa debe funcionar contigo de manera óptima. El pantalón Ridge Dynastretch Softshell está fabricado con un tejido muy transpirable. Permite que el sudor y la humedad escapen y cuenta con cremalleras de ventilación, además de perforaciones en la parte posterior de la cintura para una circulación de aire óptima. Con su construcción liviana y elasticidad en cuatro direcciones, el pantalón Ridge Dynastretch te brinda libertad de movimiento ilimitada para que puedas darlo todo.

PVPR: 250 €
www.dynafit.com

Ridge Windstopper Gloves

Los guantes Ridge Windstopper de alto rendimiento fueron desarrollados para un uso exigente. Con los 60 gramos avanzados de aislamiento PrimaLoft® Gold, tienes garantizada calidez y comodidad incluso en condiciones adversas. El respaldo premium GORE-TEX WINDSTOPPER® hace que los guantes sean 100% resistentes al viento. Además, el exterior altamente resistente al agua añade protección adicional. La palma ha sido reforzada con cuero duradero. Eso les brinda un agarre firme a sus bastones y le brinda el control necesario para conquistar cualquier terreno de manera segura. Los puños se pueden ajustar mediante un cierre de gancho y bucle.

PVPR: 100 € **www.dynafit.com**

Midi Shell Jacket

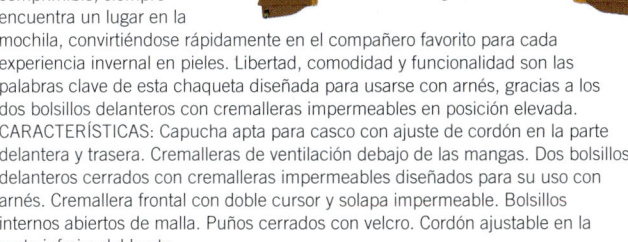

Chubasquero totalmente termosellado. Diseñada para el esquí de montaña, está confeccionada con tejido 100% reciclado y libre de PFC. Amplias travesías de varios días y descensos vertiginosos en busca de nieve polvo, respetando el entorno natural. De hecho, nuestra Midi Shell Jacket está confeccionada con tejido 100% reciclado y sin PFC. No puede haber mejor compañero para nuestras aventuras en la nieve. Impermeable a la lluvia, completamente termosellado, garantiza una impermeabilidad a 20 000 columnas de agua y una transpirabilidad igual a 15 000 g/m²/24h. La prenda ideal cuando quieres afrontar hasta los climas y situaciones más extremas. Altamente comprimible, siempre encuentra un lugar en la mochila, convirtiéndose rápidamente en el compañero favorito para cada experiencia invernal en pieles. Libertad, comodidad y funcionalidad son las palabras clave de esta chaqueta diseñada para usarse con arnés, gracias a los dos bolsillos delanteros con cremalleras impermeables en posición elevada. CARACTERÍSTICAS: Capucha apta para casco con ajuste de cordón en la parte delantera y trasera. Cremalleras de ventilación debajo de las mangas. Dos bolsillos delanteros cerrados con cremalleras impermeables diseñados para su uso con arnés. Cremallera frontal con doble cursor y solapa impermeable. Bolsillos internos abiertos de malla. Puños cerrados con velcro. Cordón ajustable en la parte inferior del busto.

Tejido principal: 100% poliéster. **Bolsillos:** 100% poliéster. **PVPR:** 450 €
www.karpos-outdoor.com

Midi Shell Pants

Pantalón protector, impermeable y transpirable, diseñado para la práctica del esquí de montaña. Confeccionado con tejido reciclado y totalmente termosellado. Nuestros Midi Shell Pant son los aliados ideales para todas las aventuras fuera de pista. Diseñados para usarse en combinación con la Midi Shell Jacket, transforman el concepto de esquí de montaña en una experiencia totalmente inmersiva. Ideales en condiciones frías y difíciles, ofrecen la máxima libertad de movimiento y transpirabilidad. Transpirabilidad también garantizada por las cremalleras laterales que permiten una mayor ventilación. Gracias a su confección en tejido Pertex® Shield® Revolve, 100% reciclado y libre de PFC, tienes garantizada una protección extrema contra los agentes atmosféricos, además de transpirabilidad y un alto confort. Todas características fundamentales a la hora de afrontar condiciones extremas en la temporada invernal. Para dar mayor protección el hecho de que estén completamente termosellados. Un inserto de cordura en la parte inferior de la pierna ofrece protección contra los bordes. CARACTERÍSTICAS: Pantalón totalmente termosellado. Cinturón abierto cerrado con botones y gancho de seguridad, con velcro para ajustar la cintura. Trabillas para cinturón. Dos bolsillos delanteros cerrados con cremallera diseñados para uso con arnés y un pequeño bolsillo cerrado con cremallera en el muslo izquierdo. Cremalleras de ventilación en los laterales. Polaina interna en la parte inferior de la pierna. Cremallera con refuerzo en la parte inferior de la pierna. Botón de ajuste en la parte inferior de la pierna. Protector de bordes Cordura® en la parte inferior de la pierna.

Tejido principal: 100% poliéster. **Inserciones del pantalón:** 90% poliamida y 10% poliuretano. **Polar:** 100% poliéster. **Red:** 100% poliéster. **PVPR:** 390 €
www.karpos-outdoor.com

Midi Shell W Jacket

Chubasquero totalmente termosellado. Diseñada para el esquí de montaña, está confeccionada con tejido 100% reciclado y libre de PFC. Amplias travesías de varios días y descensos vertiginosos en busca de nieve polvo, respetando el entorno natural. De hecho, nuestra Midi Shell Jacket está confeccionada con tejido 100% reciclado y sin PFC. No puede haber mejor compañero para nuestras aventuras en la nieve. Impermeable a la lluvia, completamente termosellado, garantiza una impermeabilidad a 20 000 columnas de agua y una transpirabilidad igual a 15 000 g/m²/24h. La prenda ideal cuando quieres afrontar hasta los climas y situaciones más extremas. Altamente comprimible, siempre encuentra un lugar en la mochila, convirtiéndose rápidamente en el compañero favorito para cada experiencia invernal en pieles. Libertad, comodidad y funcionalidad son las palabras clave de esta chaqueta diseñada para usarse con arnés, gracias a los dos bolsillos delanteros con cremalleras impermeables en posición elevada. CARACTERÍSTICAS: Capucha apta para casco con ajuste de cordón en la parte delantera y trasera. Cremalleras de ventilación debajo de las mangas. Dos bolsillos delanteros cerrados con cremalleras impermeables diseñados para su uso con arnés. Cremallera frontal con doble cursor y solapa impermeable. Bolsillos internos abiertos de malla. Puños cerrados con velcro. Cordón ajustable en la parte inferior del busto.

Tejido principal: 100% poliéster. **Bolsillos:** 100% poliéster. **PVPR:** 450 €
www.karpos-outdoor.com

Midi Shell W Pants

Pantalón protector, impermeable y transpirable, diseñado para la práctica del esquí de montaña. Confeccionado con tejido reciclado y totalmente termosellado. Nuestros Midi Shell Pant son los aliados ideales para todas las aventuras fuera de pista. Diseñados para usarse en combinación con la Midi Shell Jacket, transforman el concepto de esquí de montaña en una experiencia totalmente inmersiva. Ideales en condiciones frías y difíciles, ofrecen la máxima libertad de movimiento y transpirabilidad. Transpirabilidad también garantizada por las cremalleras laterales que permiten una mayor ventilación. Gracias a su confección en tejido Pertex® Shield® Revolve, 100% reciclado y libre de PFC, tienes garantizada una protección extrema contra los agentes atmosféricos, además de transpirabilidad y un alto confort. Todas características fundamentales a la hora de afrontar condiciones extremas en la temporada invernal. Para dar mayor protección el hecho de que estén completamente termosellados. Un inserto de cordura en la parte inferior de la pierna ofrece protección contra los bordes. CARACTERÍSTICAS: Pantalón totalmente termosellado. Cinturón abierto cerrado con botones y gancho de seguridad, con velcro para ajustar la cintura. Trabillas para cinturón. Dos bolsillos delanteros cerrados con cremallera diseñados para uso con arnés y un pequeño bolsillo cerrado con cremallera en el muslo izquierdo. Cremalleras de ventilación en los laterales. Polaina interna en la parte inferior de la pierna. Cremallera con refuerzo en la parte inferior de la pierna. Botón de ajuste en la parte inferior de la pierna. Protector de bordes Cordura® en la parte inferior de la pierna.

Tejido principal: 100% poliéster. **Inserciones del pantalón:** 90% poliamida y 10% poliuretano. **Polar:** 100% poliéster. **Red:** 100% poliéster. **PVPR:** 390 €
www.karpos-outdoor.com

ARVA Barryvox S2

El Barryvox S2, transceptor de avalanchas de Mammut, combina un alcance digital de 70 metros con características avanzadas como guía por voz, gestión de interferencias y modo automático de envío. Diseñado para rescates complejos, permite marcar múltiples víctimas y ofrece actualizaciones vía Bluetooth. Incluye auto-verificación y un sistema de transporte ergonómico. Pantalla MIP: la pantalla Memory-in-Pixel innovadora y de alto contraste es clara y fácil de leer incluso con luz solar intensa. Guía de voz. Rescue SEND: Función de protección para rescatadores que no estén realizando una búsqueda. Interference Guard: su Barryvox® administra y reduce la interferencia de la señal e indica cualquier interferencia en el modo de transmisión y búsqueda. Interfaz visual intuitiva. Función de marcado para entierros múltiples. La función de dirección inversa evita errores de búsqueda de 180 grados. Tecnología de búsqueda analógica. Pro Check: en este modo se comprueban la frecuencia de transmisión, la duración del pulso y las longitudes de los períodos de otros transceptores de avalancha. Marcado para enterramientos profundos hasta una distancia de 6m. Detección de datos vitales BT. Compatible con baterías de litio (550 h de duración de la batería en SEND).

PVPR: 480 €
www.mammut.com

Chaqueta Crater IV HS Hooded

Un casco rígido de 3 capas para aventureros de todo el año interesados en la sostenibilidad. Con una membrana GORE-TEX® sin PFC, esta chaqueta ofrece una huella ecológica reducida y un rendimiento sin concesiones. No sólo es duradero y repelente al agua, sino que también es transpirable, liviano y altamente comprimible. Y como nos preocupamos por los detalles tanto como por el medio ambiente, también hemos añadido bolsillos interiores y exteriores, ventilación en las axilas y una capucha ajustable compatible con casco.

Columna de agua: 28 000 mm.
Composición: 100% Polyester. **Peso:** 482 g.
Tecnología: GORE-TEX ePE membrane. **PVPR:** 440 €
www.mammut.com

Chaqueta Aenergy IN

Si lo que le interesa es el rendimiento, la chaqueta aislante más ligera de Mammut es la protección adecuada contra el frío para sus aventuras en la montaña. El relleno de plumón hidrofóbido de origen responsable se coloca en pequeñas cámaras para lograr este máximo rendimiento, aislando incluso en condiciones de humedad. Debajo del material exterior de nailon reciclado ultraligero, el plumón puede expandirse hasta su máxima capacidad para un aislamiento optimo. Ya sea como capa extra cálida o exterior, o como respaldo término pequeño, la chaqueta con capucha Aenergy IN está diseñada para todos los atletas de montaña que desean un equipo liviano sin concesiones.

Composición: 100% poLyamide (recycled). **Composición interior:** 90% White goose down, 10% White goose Feather. **Peso:** 280 g.
Tecnología: Pertex Quantum, Mammut Down 850 cuin. **PVPR:** 380 €
www.mammut.com

Mochila Trion 15

La mochila perfecta para tus recorridos alpinos, la más pequeña de la serie Trion, ofrece comodidad liviana y durabilidad excepcional en el ajuste ceñido al cuerpo de un chaleco de Trail running. Repelente al gua y resistente a la abrasión, nuestra línea completa Trion fue desarrollada con los alpinistas profesionales Stephan Siegrist y Nico Hojac para optimizar hasta el último detalle.

Fabricado principalmente con materiales reciclados, el Trion 15 ofrece una libertad de movimiento inigualable, un cierre enrollable con cremallera y acceso lateral rápido al compartimiento principal.

Sistema de espalda: Contact.
Peso: 420 g. **PVPR:** 150 €
www.mammut.com

Alt HB Hoody

Lo más destacable de esta prenda de moderada protección térmica es su elevada transpiración y compresibilidad. Construcción híbrida que combina la resistencia y transpiración del micro-tejido Nylon Ripstop (50 CFM) con paneles interiores en fibra Octa-yarn para aportar un extra de confort térmico. Corte depurado para no restar movimiento al vestir por capas. 2 bolsillos laterales con cremallera. Micro-costuras para un corte ultra-ligero. Mangas pre-formadas con axilas sin costuras. Capucha envolvente con ribete elástico. Ajuste en la cadera con tirador. Puños elásticos con orificio para pulgar.

Tejido exterior: 100% Nylon Ripstop stretch reciclado sin PFC's. **Peso:** 270 g
PVPR: 180 € **www.marmot.com**

Saco Helium

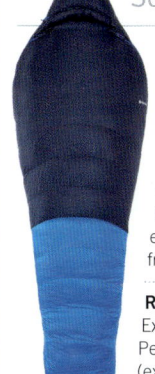

La ligereza no está reñida con el confort en este saco con un peso total de sólo 984 g. Amplia zona trapezoidal en los pies para mayor confort y aislamiento térmico. Tabiques pre-curvados para un mejor reparto del plumón. Capucha Nautilus 3D envolvente que garantiza una mayor obertura de nuestra cabeza. Collarín interior en la zona cervical para un mejor confort térmico. Cremallera lateral integral YKK anti-enganches. Incorpora cremallera adicional hasta la cintura para ventilación extra. Costuras en la zona del suelo elevadas para evitar puntos fríos. Materiales libres de PFCs.

Relleno: Plumón de oca 800 Fill con RDS y tratamiento ExpeDRY™: anti-humedad y secado rápido. **Tejido exterior:** 100% Pertex Quantum Nylon Ripstop. **Peso:** 984 g. **Temperatura:** -28° C (extrema). -9° C (límite confort). -3° C (confort). **PVPR:** 490 € **www.marmot.com**

Chaqueta de plumas Hype

Calor, confort, alta compresibilidad y ligereza es la definición de esta chaqueta. Diseño con micro-tabiques. Tejido en los hombros en forma romboide para evitar puntos fríos y aumentar la resistencia. Tratamiento ExpeDry en las fibras de plumón: resistente al agua y 100% natural (a partir de partículas de oro de microchips reciclados), que aumenta un 50% la capacidad de secado del plumón, aporta propiedades antibacterianas y más capacidad de hinchado. Capucha compatible con casco. Dos bolsillos laterales y uno interior que sirve de funda.

Tejido exterior: Pertex Quantum 20D reciclado. **Relleno:** Plumón de oca 800 Fill RDS. **Peso:** 298 g. **PVPR:** 350 €
www.marmot.com

Leconte

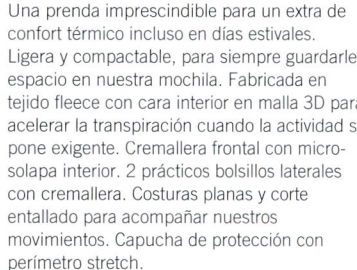

Una prenda imprescindible para un extra de confort térmico incluso en días estivales. Ligera y compactable, para siempre guardarle espacio en nuestra mochila. Fabricada en tejido fleece con cara interior en malla 3D para acelerar la transpiración cuando la actividad se pone exigente. Cremallera frontal con micro-solapa interior. 2 prácticos bolsillos laterales con cremallera. Costuras planas y corte entallado para acompañar nuestros movimientos. Capucha de protección con perímetro stretch.

Tejido exterior: 94% poliéster, 6% elastane. 100% poliéster Tricot (cara interior). **Peso:** 380 g. **PVPR:** 120 €
www.marmot.com

Precip Pro

La ligereza arropada por la resistencia del tejido exterior en poliéster 100% reciclado es una de las principales prestaciones de esta prenda diseñada con criterio sostenible. Membrana NanoPro™ impermeable y transpirable, fabricada con material reciclado. Corte entallado. Cremalleras con mini-solapa y dos bolsillos compatibles con arnés. Capucha envolvente y con regulación periférica. Aberturas PitZips en axilas. Mangas preformadas y puños con velcro.

Tejido: 100% poliéster reciclado plain wave sin PFCs. **Membrana:** Precip Eco NanoPro™. **Peso:** 407 g. **PVPR:** 200 € **www.marmot.com**

Mitre Peak

Tras varias temporadas en su haber, la MITRE PEAK jkt continúa aportando su gran tecnicidad en tan sólo 350 g. Tejido Nylon Ripstop que, sumado a la membrana Gore-Tex Active 3L en hombros y capucha, garantiza unos valores de transpirabilidad e impermeabilidad aptos para las condiciones más adversas. En el resto del cuerpo, el tejido está laminado en Gore-Tex 3L. Capucha compatible con casco y visera preformable. Cremalleras estancas. Bolsillos 'Pack' laterales con amplia apertura. Cremallera frontal con doble tirador. Mangas ranglán. Aberturas de ventilación en axilas con cremallera estanca. 100% funcionalidad.

Peso: 351 g. **PVPR:** 425 € **www.marmot.com**

Warmcube® Active Alt HB

La respuesta para aquellas situaciones en las que al parar nos enfriamos y al movernos generamos demasiado calor. La WarmCube Active® HB garantiza un nivel óptimo de aislamiento térmico y transpiración para actividades invernales de alto rendimiento aeróbico. El relleno interior es en plumón 700 fill con una elevada compresibilidad y capacidad de hinchado para una mayor retención de nuestro calor gracias a su distribución en cubos 3D.

Tejido exterior: Nylon Ripstop 100% reciclado. **Relleno:** plumón 700 Fill con tratamiento Down Defender + fibra OctaYarn en brazos y capucha. **Peso:** 397 g. **PVPR:** 280 € **www.marmot.com**

Pinnacle Driclime hoody jkt

Muy versátil, reúne todas las prestaciones que los amantes de avanzar rápido y ligero valoran: transpiración, aislamiento térmico, corta-viento, repelencia al agua y ligereza. Tejido exterior elástico con acabado 'hardface' que aporta resistencia a la abrasión. Interior con fibras Driclime® que combinan lo mejor en protección térmica y transpiración. Corte entallado. Bolsillos laterales y en pecho con cremallera, accesibles con arnés. Capucha fija con regulación periférica. Puños elásticos y tensor elástico regulable en cadera. Tratamiento hidrófugo DWR sin PFCs.

Tejido: 89% Post-Consumer Recycled Polyester, 11% Elastane. **Peso:** 442 g. **PVPR:** 180 € **www.marmot.com**

MILLET®

M White 3L JKT M / M White 3L JKT W

Chaqueta impermeable de esquí pensada para los amantes de las pistas vírgenes. Gracias al material Dryedge™, impermeable y muy transpirable, es cómoda, adaptable y elástica. Construida para brindar la máxima libertad de movimientos: mangas raglán, codos preformados, faldón para nieve que se queda en su sitio y se estira adaptándose a tus gestos y distintos puntos de ajuste. Está equipada con un sistema RECCO® para facilitar el trabajo de los servicios de emergencia en caso de avalancha y se completa con varios bolsillos y elementos reflectantes para incrementar tu seguridad.

Materiales: DRYEDGE HIGH BREATH 20K/30K 3L, 100% Polyester, Transpirabilidad: 30 000 g/m²/24h, Impermeabilidad: 20 000 mm, DWR Water-repellent treatment PFC Free.

Características: Corte deportivo. Membrana DRYEDGE™ impermeable y transpirable. Material Dryedge® de 3 capas ultratranspirable 30K, ligero, flexible y elástico mecáni-

co. Tratamiento repelente al agua DWR sin PFC. Construcción en 3 capas. Codos preformados. Apertura central con cremallera impermeable. Capucha de alpinismo compatible con casco. 1 bolsillo con cremallera en lo alto de la manga para forfait. 2 bolsillos en el pecho con cremallera impermeable. Bajo ajustable con cordón elástico y bloqueo automático. Construcción de mangas raglán para una amplia libertad de movimiento. Marcado reflectante. Puños ajustables con velcro. Todas las costuras termoselladas. Sistema de seguridad RECCO. Sistema de sujeción a ambos lados en el bajo de la chaqueta. Faldón antinieve integrado con elástico antideslizante y banda elástica para acompañar el movimiento. Ventilación en las axilas con cremallera de doble cursor bajo solapa. Disponible versión hombre y mujer. **Peso:** 532 g (hombre), 482 g (mujer). **PVPR:** 400 €
www.millet.com

M White 3L PANT M / M White 3L PT W

Lánzate a la nieve en polvo con tus esquís sin miedo a la humedad con el pantalón de esquí de travesía de hombre y mujer M WHITE 3L. Confeccionado con un material impermeable, DRYEDGE HIGH BREATH 3L, es especialmente transpirable y tiene unas grandes ventilaciones laterales con cremallera para que te mantengas seco a pesar del esfuerzo. El corte recto con cintura ajustable y las rodillas preformadas garantizan una libertad de movimientos óptima.
Además, esta prenda técnica de esquí te ofrece todas las características de un pantalón actual de esquí de travesía: protectores en los bajos, apertura con cremallera en los bajos y polainas de nieve.

Materiales: DRYEDGE HIGH BREATH 20K/30K 3L, 100% Polyester, Breathability: 30 000 g/m²/24h, Waterproofness: 20 000 mm, DWR Water-repellent treatment PFC Free.

Características: Corte regular. Membrana DRYEDGE™ impermeable y transpirable. Material Dryedge® de 3 capas ultratranspirable 30K, ligero, flexible y elástico mecánico. Tratamiento repelente al agua DWR sin PFC. Rodillas preformadas. Ventilaciones grandes de cremallera en los laterales y apertura de cremallera normal. Trabillas de cinturón. Cintura ajustable con tira autoadherente. 2 bolsillos cargo en los muslos, con cremallera estanca, incluido 1 con bolsillo interior para teléfono o DVA. Bragueta con cremallera.
Protección anticortes. Todas las costuras impermeables. Marcado reflectante. Aperturas con cremallera en los bajos de las piernas. Polainas de nieve integradas con banda antideslizante. Disponible versión hombre y mujer. **Peso:** 496 g.
PVPR: 350 €
www.millet.com

Rutor XCS Air Hoodie M / Rutor XCS Air Hoodie W

Avanzamos a ritmo sostenido. Se acentúa la pendiente. La chaqueta de esquí de travesía con capucha RUTOR XCS AIR regula la temperatura corporal a la perfección. Su diseño híbrido combina un material X.C.S. stretch, cortavientos e hidrófugo con un relleno aislante ligero de Polartec® Power Dry® en zonas estratégicas y con unas perforaciones láser en la espalda y bajo los brazos. Protegidos del viento y la humedad, avanzamos con total soltura y con una excelente transpirabilidad. La chaqueta permanece en su sitio gracias a los remates de bies elástico. Guardamos el teléfono en su compartimento del bolsillo grande del pecho con cremallera y los guantes en el otro bolsillo del pecho, que se abre rápidamente con un velcro. Y, gracias a los elementos reflectantes, somos visibles, aunque el día esté brumoso.

Materiales: Insulation 1: POLARTEC® POWER DRY® MESH, 100% Recycled Polyester, Mecanical Strecth. Fabric 1: X.C.S. PA STRETCH, 90% Polyamide y 10% Elastane, DWR treatment PFC Free, 4 way Stretch.

Características: Corte activo. Tejido principal muy elástico, hidrófugo y cortavientos. Confección híbrida Hybrid™ con aislamiento parcial de malla Polartec® Power Dry® en la parte alta del cuerpo y en las mangas para brindar un abrigo ligero estratégico. Apertura central con cremallera. Capucha integrada ergonómica ceñida a la cabeza que se puede plegar conservando el cuello protector. 1 bolsillo en el pecho con cremallera. Marcado reflectante. Acabado del bajo de la prenda y puños de bies. Utilizable con arnés. Disponible versión hombre y mujer. **Peso:** 334 g (hombre), 361 g (mujer). **PVPR:** 200 €
www.millet.com

Rutor XCS Pant M

Corte regular. Tratamiento repelente al agua DWR sin PFC. Material elástico en 2 sentidos. Rodillas preformadas. Construcción Bi-face™ para mayor transpirabilidad, aislamiento y comodidad. Cinturón elástico con trabillas y cordón de ajuste. 2 bolsillos para las manos con cremallera. 1 bolsillo con cremallera detrás. Cremalleras de ventilación en los muslos. Bragueta con cremallera. Refuerzo de poliamida en bajos de pierna, elástico y flexible. Polainas integradas en material flexible de poliamida, con apertura con velcro y botones de presión. Cremalleras de apertura en los bajos. Aplicación en la entrepierna para mayor comodidad. Marcado reflectante. Tirantes elásticos desmontables y ajustables. **Materiales:** Insert: X.C.S. PA STRETCH, 90% Polyamide y 10% Elastane. Fabric 1: X.C.S. 200, 92% Polyamide y 8% Elastane, 2 way Stretch, Free Teflon EcoElite™. Reinforcement: STRETCH HARDTEX. **Peso:** 572 g. **PVPR:** 230 €
www.millet.com

Rutor Tight W

Materiales hidrófugos y extensibles en cuatro direcciones para mayor comodidad. Confección híbrida con tejido cepillado superelástico en los muslos y un material más ligero que repele el agua en los bajos de las piernas. Rodillas preformadas. Corte atlético. Cintura plana alta con cordón de ajuste, máxima comodidad. Refuerzos bajos de las piernas de poliamida, stretch y adaptable. Bolsillo bajo solapa en los muslos de tejido stretch. Polainas de nieve cortas y ligeras de tejido stretch. Bajos de las piernas con cremallera para acceder fácilmente al mecanismo esquiar/caminar. **Materiales:** Reinforcement: STRETCH HARDTEX, 93% Polyamide y 7% Elastane, DWR Water-repellent treatment PFC Free. Fabric 1: VUELTEX KNIT, 57% Polyamide, 28% Polyester y 15% Elastane LYCRA®, 4 way Stretch, DWR Water-repellent treatment PFC Free. Fabric 2: X.C.S. PA STRETCH, 90% Polyamide y 10% Elastane. **Peso:** 375 g. **PVPR:** 190 €
www.millet.com

Pierra Ment PRO TOP M
/ Pierra Ment PRO TOP W

Corte atlético ceñido al cuerpo. Material ventilado en la espalda y bajo los brazos para mayor transpirabilidad durante el ejercicio. Refuerzos en los hombros de tejido Dyneema® stretch muy resistente a las rozaduras de la mochila. Tejido principal sublimado, diseño en colaboración con Emily Harrop. Tejidos italianos, de calidad y duraderos. Apertura central con cremallera ¾. Tiradores más grandes para mejorar el agarre. 1 bolsillo de cremallera de acceso rápido en el pecho. 1 bolsillo pequeño en el pecho con cierre de velcro para acceder rápidamente al gel o compota. Bolsillo interior de cremallera para DVA. Compartimentos interiores de malla stretch para guardar las pieles de foca. Cuello Mao para optimizar la comodidad. Sistema de conexión con el pantalón con corchetes de presión en la espalda. Bajo de la chaqueta con elástico antideslizante para que se mantenga en su sitio durante la actividad. Guía para el tubo del sistema de hidratación dentro del cuello y espacio para el orificio de paso del tubo en la espalda.
Materiales: Reinforcement: DYNEEMA® STRETCH, 48% Polyamide, 31% Elastane y 21% Polyethylene, 4 way Stretch. Fabric 1: CARVICO® COLORADO, 80% Polyamide y 20% Elastane, 4 way Stretch. Fabric 2: CARVICO® SPIDER MESH, 80% Polyamide y 20% Elastane LYCRA®, 4 way Stretch. **Peso:** 232 g (hombre), 225 g (mujer). **PVPR:** 200 €
www.millet.com

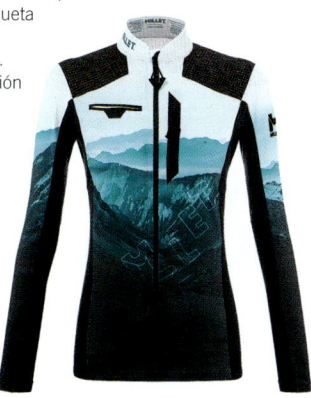

Pierra Ment PRO PT M
/ Pierra Ment PRO PT W

Tejidos italianos ligeros, stretch, resistentes, de calidad y duraderos. Confección con las costuras mínimas para optimizar la comodidad. Corte atlético. Cintura plana alta con cordón de ajuste, máxima comodidad. Sistema de conexión con la chaqueta con corchetes de presión en la espalda para que se mantenga en su sitio con los movimientos. Refuerzos bajos de las piernas de material Dyneema® stretch, ligero y muy resistente a las rozaduras. Bajos de las piernas ergonómicos para proteger bien el calzado de la nieve. Elástico ancho que se pasa por debajo del calzado para sujetar bien las polainas. Cordón elástico que se pasa alrededor del sistema BOA para garantizar la sujeción perfecta de la polaina.
Materiales: Reinforcement: DYNEEMA® STRETCH, 48% Polyamide, 31% Elastane y 21% Polyethylene, 4 way Stretch. Fabric 1: CARVICO® COLORADO, 80% Polyamide y 20% Elastane, 4 way Stretch. **Peso:** 235 g (hombre), 230 g (mujer). **PVPR:** 180 €
www.millet.com

TOUR 30

Tercer y último día de nuestra expedición. Cerramos nuestra mochila de esquí de travesía Tour 30. El material de seguridad está en su sitio. Metemos el saco de dormir en el fondo de la mochila y cerramos su cremallera. Llenamos la bolsa de hidratación. Ajustamos correa, cinturón, tirantes y cinchas de carga. Allá vamos. Seguimos adelante. Se agradece mucho la ergonomía de esta mochila a la vez cómoda y técnica. Si los necesitamos, los piolets están sujetos a nuestra resistente mochila portaesquís que repele el agua. ¿Un pequeño bajón? Sacamos una barrita de cereales del bolsillo con cremallera del cinturón. Último descenso. Sacamos las gafas de su bolsillo y tomamos una curva tras otra hasta los coches. Abrimos nuestra mochila de esquí por la abertura integral. Y sacamos las llaves que llevamos bien sujetas en el bolsillo interior de malla.
Características: Correa del pecho ajustable. Cinturón ergonómico ajustable. Tirantes ergonómicos. Refuerzos de carga en los tirantes. Portaesquíes laterales. Portapiolets FPP™. Portabastones. Compatible con sistema de hidratación. Espacio principal de apertura integral. Acceso al fondo de la mochila con cremallera. 1 bolsillo de malla lateral. Compartimento de seguridad (pala y sonda). 1 bolsillo con cremallera en el cinturón. Compartimento para sistema de hidratación. Bolsillo protector para gafas. 1 bolsillo de malla de cremallera interior con llavero. Llavero.
Peso: 900 g. **Volumen:** 30 l. **Altura trasera:** 46 cm. **PVPR:** 150 €
www.millet.com

Pierra Ment EVO

En competición, casi nos olvidamos de que llevamos la mochila de 20 litros PIERRA MENT EVO. Nos cabe todo el material necesario en esta mochila ligera y resistente gracias a las fibras Dyneema®. Se ajusta perfectamente y sus detalles técnicos nos hacen ganar unos valiosos minutos. Sujetamos rápidamente los esquís al portaesquís con gancho y anilla elástica. Podemos coger fácilmente y sobre todo guardar muy deprisa los crampones en su bolsillo extraíble con cierre magnético. El piolet está al alcance de la mano. Esta mochila de esquí de travesía, con certificado ISMF, se abre con cremallera y tiene un portaesquís adicional y una anilla de tracción para el compañero. También cuenta con todos los elementos imprescindibles: portabotellas en el tirante, compartimentos para la pala y la sonda, bolsillo interior con cremallera y llavero y silbato de emergencia.
Características: Portabotellas en el tirante. Correa del pecho desmontable. Cinturón con correa ajustable. Portaesquís de gancho y anilla elástica ajustable. Características compañero: portaesquís adicional y anilla de tracción. Portapiolets FPP™. Compartimento retirable de acceso rápido I.F. Apertura con cremallera. Fundas internas para pala y sonda. 1 bolsillo interior con cremallera con clip para llaves. Silbato de socorro. Con certificado de la ISMF.
Peso: 630 g. **Volumen:** 20 l. **Altura trasera:** 46 cm. **PVPR:** 250 €
www.millet.com

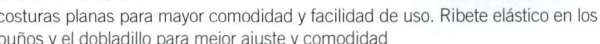

ᔕRab®

Cirrus Ultra Hoody

Prenda que lleva el rendimiento sintético al siguiente nivel, ofreciendo una calidez excepcional para el peso. Está rellena con el nuevo aislamiento PrimaLoft® ThermoPlume®+, que imita la capacidad de hinchado del plumón, manteniendo sus propiedades con clima húmedo. Reforzada con TILT que refleja el calor hacia el cuerpo, y un aislamiento de láminas que se adapta al cuerpo, resistiendo la humedad y el uso riguroso. Capucha compatible con casco con elástico trasero, ajuste facial y visera reforzada. Cremallera frontal YKK® VISLON® ligera de doble cursor. 2 bolsillos para las manos y 2 en pecho, todos con cremallera YKK®. Funda de almacenamiento integrada. Puños elásticos. Ajuste de dobladillo trasero con correa anti-enganches

Tejido: Pertex® Quantum reciclado con DWR sin fluorocarbono (exterior 20D e interior 10 D). **Aislamiento:** PrimaLoft® ThermoPlume®+ (247 g/8,7 oz, talla M). Revestimiento TILT. **Peso:** 568 g (talla M). **PVPR:** 290 €
www.rab.equipment/eu/

Khroma Converge Gtx

Chaqueta para esquí con GORE-TEX 3 capas, diseñada para llevarte desde pistas sin pisar hasta cumbres expuestas. Con tecnología Warm Backer que ofrece aislamiento y absorbe la humedad. Cremalleras en las axilas que facilitan la ventilación, con cremalleras YKK® AquaGuard. Capucha compatible con casco, ajustable en dos direcciones, con visera de polímero reforzada y flexible. 4 bolsillos externos; 2 en el pecho y 2 en las manos con fuelle para mayor capacidad de almacenamiento, compatible con todo tipo de mochilas o arneses. 1 bolsillo para forfait en el brazo. Bolsillos interiores de malla y bolsillo interior de seguridad con cremallera. Articulación de la manga para un mejor ajuste y movimiento. Faldón antinieve desmontable con cremallera y tejido elástico Matrix™ con dos cierres a presión. Cremallera frontal bidireccional YKK® VISLON® AquaGuard® con solapa interna.

Construcción: 3 capas GORE-TEX reciclado 80D Tecnología impermeable ePE con DWR sin PFCec (167 g/m²) HH: 28 000 mm/RET: <13. **Peso:** 697 g. **PVPR:** 600 €
www.rab.equipment/eu/

Khroma 22

Mochila para esquí-alpinismo con un diseño limpio al que no le faltan múltiples funcionalidades. Cuenta con una apertura en el panel posterior para poder acceder fácilmente al equipo, facilitando las transiciones entre esquiar y caminar. Lleva portacascos desmontable y un compartimento especial para el material de seguridad. Fabricada con nailon Cordura y reforzada con Spectra® Ripstop y un acabado resistente al agua HydroShield, resultando impermeable y altamente resistente a la abrasión y el desgarro. Sistema de transporte X-SHEILD™, que mantiene

la mochila cerca de la espalda, para garantizar la libertad de movimiento y la estabilidad. Portaesquís diagonal con gancho de metal resistente. Portapiolet HeadLocker. Cinturón de cadera acolchado y envolvente, con un bucle para transportar equipo en un lado y un bolsillo grande en el otro. Bolsillo interior con cremallera y bolsillo forrado para gafas. Correa pectoral con silbato de seguridad. Todas las cremalleras se han diseñado con tiradores aptos para usar con guantes.

Tejido: 210D Cordura con Spectra® Ripstop / Hydroshield Dura y 50% reciclado 420 PW / Hydroshield. **Dimensiones:** 54 x 28 x 20 cm. **Largo de la espalda:** 48 cm. **Peso:** 1140 g. **PVPR:** 200 € www.rab.equipment/eu/

ᔕRab®

Evolute Hoody

Capa intermedia adaptable y resistente, diseñada para ascensos exigentes en climas cambiantes, donde necesitas un rendir al máximo. Está confeccionada con una combinación de tejidos inmejorable que transpira, atrapa el calor y dispersa la humedad rápidamente. El aislamiento activo PrimaLoft® Evolve se adapta a las demandas de su salida, ayudando a regular la temperatura. Un forro interior optimiza la calidez y la evacuación de la humedad. Capucha debajo del casco con abertura facial totalmente elástica para un mejor ajuste. Cremallera frontal central YKK® VISLON®. 2 bolsillos para las manos de malla con cremallera YKK® que favorecen la transferencia del calor. Confección de costuras planas para mayor comodidad y facilidad de uso. Ribete elástico en los puños y el dobladillo para mejor ajuste y comodidad

Ajuste: Regular. Longitud del centro de la espalda: (talla M): 74 cm/29 pulgadas. **Aislamiento:** Aislamiento activo PrimaLoft® Evolve (75 g/m²). **Tejido principal:** Tejido exterior Motiv™ Aero single jersey con tratamiento de control de olores (85 g/m²). **Peso:** 343 g (talla M). **PVPR:** 140 €
www.rab.equipment/eu/

Nebula Pro

Confeccionada con el nuevo aislamiento sintético PrimaLoft® Silver RISE, brinda calidez instantánea y protección fiable, manteniendo sus propiedades en condiciones frías y húmedas. Es una prenda técnica para montaña, útil tanto para escalada como montañismo o caminantas en condiciones frías. Capucha compatible con casco con volumen trasero y ajuste interno oculto, con visera reforzada. Cremallera frontal central YKK® VISLON® de doble cursor, con solapa y protector de barbilla. 2 bolsillos YKK® ocultos para las manos con cremallera. Bolsillo de almacenamiento integrada, con anilla para llevarla colgada. Bolsillo interior de seguridad con cremallera YKK® en el pecho. Puño elástico para un ajuste óptimo y cierre de velcro para usar con guantes.

Ajuste: Regular. Longitud del centro de la espalda (talla M): 76,5 cm. **Aislamiento:** PrimaLoft® Silver RISE 100% reciclado (279 g, talla M). **Tejido principal:** exterior Pertex® Quantum Pro reciclado 30D (52 g/m²) con DWR libre de fluorocarbonos. **Forro de tejido:** forro Pertex® Quantum reciclado 20D (38 g/m²) con DWR libre de fluorocarbonos. **Peso:** 568 g (talla M). **PVPR:** 220 €
www.rab.equipment/eu/

Adrift 30l

Elegante, versátil y ultrarresistente, esta mochila multiactividad está diseñada para el día a día activo. Es un modelo funcional para la vida diaria, que incluye características de las mochilas de escalada y alpinismo más técnicas. Confeccionada con un tejido Ripstop de nailon excepcionalmente resistente. Con un diseño atractivo, cuenta con un compartimento acolchado para el ordenador portátil de 15" y una funda para la tablet, así como con múltiples puntos de amarre y bolsillos que aumentan su versatilidad. Perfecta para usar tanto para el trabajo como en el monte. El sistema de espalda Contour™ es estable y cómodo para el uso diario.

Fácil acceso al interior mediante una apertura con cremallera en forma de U, que da al espacioso compartimento principal. Compartimento delantero con bolsillo con cremallera para objetos más pequeños. 2 bolsillos laterales de malla ideales para llevar botellas. Bucle de fijación de la luz para la bicicleta. Cinturón lumbar extraíble. Bolsillo interno de malla con cremallera, con clip para llaves. Bolsillo superior con cremallera. Asa de agarre delantera.

Dimensiones: 54 x 31 x 26 cm (longitud espalda 48 cm). **Peso:** 716 g. **PVPR:** 100 €
www.rab.equipment/eu/

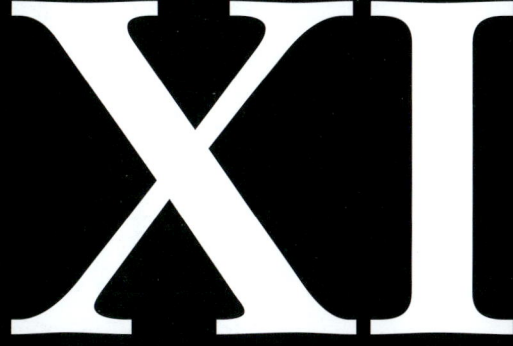

XI Semana internacional de montaña

"Villa de Guadarrama"

C.C. "La Torre". Guadarrama
29/30 noviembre y 1 diciembre de 2024

Ayuntamiento de Guadarrama

Director:
Miguel Ángel Gavilán

Viernes
29 noviembre
19h.
Sito Carcavilla

20:15h.
Jose Mª.
Andrés.
"Chemari"

Sábado
30 noviembre
19h.
Marko Prezelj

Domingo
1 diciembre
19h.
Lucía Guichot y
Nieves Gil

Descenso encordados

Aunque no es una maniobra habitual, en casos puntuales puede ser necesario el uso de la cuerda para afrontar tramos complicados o con grietas, especialmente en cordadas con mucha diferencia de nivel en la técnica de descenso. Os explicamos aquí cómo realizarla.

NO HACE FALTA ESTAR EN UN TERRENO glaciar para tener que estar pendiente de la seguridad de un compañero o compañera con menos nivel de descenso ante una posible caída por un terreno comprometido, hay soluciones y, como siempre, es mejor prevenir que curar. Realizar un descenso encordado no es una práctica muy común en nuestras salidas de esquí de montaña, pero puede ser necesario en zonas glaciares o peligrosas. La técnica en sí es bastante sencilla, pero necesita práctica y tener claro lo que tenemos que hacer.

Para realizar la maniobra necesitaremos una cuerda dinámica de al menos 8 mm y 30 m de largo (lo que se suele llamar "cuerda de randonée"), y que cada esquiador lleve un arnés y un mosquetón de seguridad y arnés.

La unión del esquiador a la cuerda la haremos mediante el mosquetón de seguridad a una cinta cosida que irá alrededor de la cintura y unida al anillo ventral del arnés con un nudo de alondra y un mosquetón de seguridad, a modo "cinturón", de forma que se eviten los tirones de la cuerda y se facilite la unión o liberación de la cuerda con rapi-

FOTOS: MANUEL SUÁREZ

Aunque habitualmente el encordamiento en esquí se usa para atravesar glaciares (cmo en la imagen de la derecha) o para ascender por tramos peligrosos, también puede ser útil en ocasiones puntuales en los descensos.

dez **(foto 1)**. La longitud entre esquiadores será al menos de 10 m, para facilitar los giros y dar margen de corrección de trazado en la bajada.

Si vamos en un grupo, lo ideal es repartirnos en cordadas de dos esquiadores, en las que el esquiador con menos nivel se sitúe siempre a la cabeza, dejando el último lugar para el esquiador más avanzado. Este "esquiador-guía" ha de ir en última posición y llevará el excedente de cuerda recogida, bien en su mochila o en bandolera, siempre bloqueada a su arnés mediante un ballestrinque **(foto 2).** Este esquiador debe esquiar sin

bastones, que puede llevar plegados en la mochila o colocados transversalmente entre la espalda y la mochila. De esta forma tiene las manos libres para ir recogiendo o soltando cuerda, según sea necesario durante el descenso para compensar la trazada del primer esquiador o para distanciarse de él si fuera necesario para evitar grietas, obstáculos o terreno irregular. En tramos horizontales o en diagonal, el esquiador guía deberá progresar en la misma vertical del primer esquiador.

Si la cordada de esquiadores fuera de tres miembros, el esquiador del centro deberá llevar otros 10 m de cuerda con el primer esquiador y unirse también a la cuerda mediante un nudo de potencia y un mosquetón de seguridad (al igual que en la cordada de dos), de este modo tendrá más maniobrabilidad y sufrirá menos los posibles tirones del primer esquiador. El esquiador del centro ha de progresar también sin bastones y gestionar la cuerda con el esquiador que le precede, quedando la seguridad en manos del último esquiador, quien irá manteniendo la distancia de seguridad con ambos en función del terreno. Es recomendable en este caso que el esquiador guía deje más cuerda entre el esquiador central, para compensar las trazadas de los dos esquiadores y aportar más seguridad al conjunto. Todos los esquiadores han de llevar el piolet colocado en modo "uso rápido" en la hombrera de la mochila.

Este tipo de descenso es adecuado en terrenos glaciares donde existan pequeños tramos con bajada y exista un marcado peligro de existencia de grietas. También puede ser útil para asegurar tramos complicados a esquiadores con menos nivel de esquí, o bien que no tengan la confianza necesaria para algún descenso, si bien en estos casos puede ser necesario realizar algún tipo de aseguramiento estático y puntual.

Pese la aparente simpleza de esta técnica, no debe realizarse sin un entrenamiento y una práctica previa, con el fin de conseguir la necesaria coordinación entre esquiadores y adaptarse al nivel y tipo de esquí de cada miembro de la cordada.

(Podéis ver un vídeo usando esta técnica en: *http://manuelsuarezguia.blogspot.com/2023/02 /como-descender-en-esqui-en-cordada.html*)

Manuel SUÁREZ

JOSE A. MENDEZ

CIRCULAR POR
LOS TRESMILES ORIENTALES DE
SIERRA NEVADA
En busca de la soledad

Fabuloso mar de nubes bajo la loma del
Calvario, rematada por La Atalaya (3147 m);
un lugar donde se palpa la tranquilidad.

Propuesta de una ruta circular de dos jornadas que pasa por cuatro tresmiles, entre ellos por el estético y deseado Puntal de Vacares, con pernocta en el recién renovado refugio de Picón de Jérez. Incluye soberbios descensos y rincones poco frecuentados, además de inigualables vistas de la sierra granadina.

FOTOS: JOSÉ A. MÉNDEZ / MANUEL JIMÉNEZ CONDE

SIEMPRE que me adentro en esta zona de Sierra Nevada solo tengo una certeza: con una probabilidad muy alta no me voy a encontrar con nadie o casi nadie. Esta circunstancia es cada vez más extraña en este mundo actual saturado de información, lo que añade un aliciente extra a esta ruta.

Los atractivos de esta ruta son varios:

Primero, el recorrido propuesto pasa por algunos de los tresmiles orientales más populares de Sierra Nevada: el Picón de Jérez (3008 m), el Puntal de Juntillas (3143 m), La Atalaya (3147 m) y, sobre todo, el Puntal de Vacares (3144 m), "ese oscuro objeto de deseo" de cualquier esquiador de montaña. Es uno de los picos más estéticos de la cordillera, enclavado en su parte más salvaje y aislada, cuya cumbre es un balcón con vistas inigualables de la cara norte de La Alcazaba. A

Arriba, en el soberbio descenso del barranco del Alhorí (desde el Picón de Jerez). A la izquierda, arriba, progresando con las impresionantes vistas de la Loma de los Cuartos, el río Vadillo y la Loma del Calvario; y debajo, panorámica del Puntal de Vacares, ese "oscuro objeto de deseo". A la izquierda, subiendo por la Loma de los Cuartos.

esto se deben añadir los soberbios descensos que podremos disfrutar: el barranco del Alhorí, el río Juntillas, el descenso de Vacares a la laguna y de La Atalaya al cauce del río Vadillo, que en conjunto suman más de 2800 metros de esquiada.

Segundo, si hacemos la ruta a partir de mediados de febrero, es probable que disfrutemos de la mejor nieve que haya probado: la nieve primavera de Sierra Nevada, "la cremita de la Sierra".

Tercero, y no menos importante, podremos realizar la ruta ligeros de peso, pues

pernoctaremos en el refugio del Picón de Jérez (antiguo Postero Alto), donde dispondremos de cobijo, cena y unas buenas cervezas. El refugio está regentado por dos grandes montañeros de la zona: Pepe Saldaña y Fernando Fernández-Vivancos. ¿Quién de los que frecuentan la Sierra no se los ha encontrado alguna vez entrenando para alguna de sus expediciones al Himalaya? Sin más rodeo, paso a describir la ruta.

PRIMER DÍA
Rincones mágicos y llegada al refugio

No es fácil llegar al inicio de la ruta, pues hay un considerable número de cruces de carriles sin señalizar. Sin embargo, intentaré dar una descripción lo más clara posible del itinerario:

Tomamos como punto de partida la salida de Güéjar Sierra por la carretera de Mai-

tena. Justo al salir encontramos una señal que indica "El Coto Padules", que será nuestro **kilómetro 0**.

Km 2: Tomamos el camino que baja a la derecha.

Km 3,4: Cruzamos el río Maitena y entramos en una zona de curvas cerradas. Dejaremos dos caminos a la izquierda y uno a la derecha.

Km 5: Ignoramos el camino que sube a la izquierda.

Km 6,7: Tomamos el camino de la izquierda y luego dejamos dos caminos a la izquierda.

Km 7,4: Cogemos el camino de la izquierda.

Km 8: Tomamos el camino de la derecha.

Km 9: Seguimos por el carril que empieza a subir por la derecha.

Km 13,5: En este punto encontramos una cadena que corta el paso y un pequeño aparcamiento.

Arriba, disfrutando del descenso hacia el río Juntillas, cuyo cauce seguiremos hasta los 2600 m, debajo del collado de la Cuneta de Vacares. A la derecha, llegando a la cumbre del Puntal de Vacares (3144 m); y abajo, esquiando por la Loma del Calvario, con los "grandes de la Sierra" de fondo, uno de los platos fuertes de la travesía de dos jornadas aquí propuesta.

Es importante considerar que lo normal es que la nieve empiece a partir de 1900 metros, lo que coincide con el km 10 u 11.

Si partimos desde la cadena, seguimos la traza del camino que, bajo la nieve, suele adivinarse, recortando siempre que podamos algunas amplias curvas. Así ganaremos altura en dirección este, acercándonos a la loma de Papeles, pero sin sobrepasarla, llevándola siempre a nuestra derecha, hasta alcanzar los 2500 metros

de altura, colocándonos sobre la vertical del refugio de Peña Partida.

Las vistas desde este punto son fabulosas. De frente, de izquierda a derecha, se pueden observar: la loma de Los Cuartos, coronada por El Cuervo (3157 m), el cauce del río Vadillo, culminado por el collado de La Buitrera (2995 m), la loma del Calvario, rematada por La Atalaya (3147 m) y, más al oeste, los vertiginosos valles de Valdeinfierno y Guarnón con sus respectivas cumbres: el cerro de Los Machos y El Veleta.

Estamos, en mi modesta opinión, en uno de los rincones más recónditos, mágicos y bellos de Sierra Nevada.

Ahora, hay que buscar la Loma de Cuartos, paralelos al río Vadillo, que atravesaremos en dirección este sin ganar altura. Una vez en la divisoria, el panorama sigue siendo espectacular: se puede disfrutar de la visión de toda la cabecera del valle del río Covatillas, dominado por los Tajos Negros de Covatillas y el Picón de Jérez.

Nos adentramos en el valle, dejando el característico Cerrillo de Trigo a nuestra izquierda. Pasamos por el Lavadero de la Reina y continuamos recto hacia la cabecera del valle hasta alcanzar el Picón de Jérez.

LA CONTROVERSIA sobre la toponimia de los picos de la ruta

La denominacion que utilizo en la descripcion es la que sigue Lorenzo Arribas en su libro Sierra Nevada en esquís (Ed. Desnivel, 1994), es decir, El Cuervo es el punto culminante de la Loma de Cuartos y la Atalaya es el final de la Loma del Calvario. Otros defienden que el Puntal de Cuartos es el punto culminante de la Loma de Cuartos, parece lógico, y que el Cuervo es el pico que queda enfrente de la Atalaya, al otro lado del Collado de las Buitreras. En fin, el caso es entenderse.

Desde la cumbre, descendemos hasta el fondo del circo. Estamos en la cabecera del río Alhori. Seguimos por el único camino posible, siempre por la margen derecha. Es importante estar atentos, ya que en la parte final del descenso hay una zona complicada y estrecha. Una vez superado este estrechamiento, llegamos a una parte más llana. A continuación, realizaremos una media ladera en dirección este, tras la cual pronto veremos nuestro objetivo: el refugio del Picón (Postero Alto).

Desnivel positivo: 1200 m. **Distancia:** 16 km. **Tiempo:** 5-7 horas. **Dificultad:** F-esquí 2. Atentos al estrechamiento final en el Río Alhorí.

FOTOS: JOSÉ A. MÉNDEZ / MANUEL JIMÉNEZ CONDE

SEGUNDO DÍA
Vistas a los «grandes» de la Sierra

Después de un descanso reparador, con el refugio a la espalda, encaminamos nuestros pasos hacia el suroeste, llevando la Loma de Enmedio a nuestra izquierda. Poco a poco nos acercaremos a ella hasta que la subamos allá por los 2950 m, en un roquedo característico, llamado La Piedra de los Ladrones.

Ahora continuamos por la divisoria en la misma dirección que traemos hasta llegar al Puntal de Juntillas (3143 m). Seguidamente, bajamos rectos en dirección oeste hasta un primer plano que hay a 2850 m, a la altura de las Lagunas de Juntillas. Hay que tener en cuenta que esta pala es bastante empinada y a primeras horas de la mañana suele estar bastante dura, por lo que habrá que tener precaución, llegado el caso.

Seguidamente cambiamos a rumbo suroeste para seguir el cauce del río Juntillas hasta los 2600 m, justo debajo de la vertical del Collado de la Cuneta de Vacares. Antes habremos dejado a la derecha el valle que sube al Collado de las Buitreras.

FOTOS: PEPE SALDAÑA

FRANCISCO VALERA

Tras las obras de reforma realizadas en 2024, el refugio Picón de Jerez (también conocido como Refugio Postero Alto) ha reabierto esta temporada con instalaciones renovadas y sostenibles, ofreciendo servicios a esquiadores, senderistas, alpinistas, ciclistas... durante todo el año.

DATOS PRÁCTICOS

- **Punto de partida y de llegada:** Parking Lavaderos de la Reina (37°08'32.6"N 3°20'45.5"W)
- **Recorrido total:** 42 km.
- **Duración:** dos jornadas.
- **Altitud máxima:** 3135 m.
- **Alojamiento:** refugio Picón de Jérez, guardado todos los días del año. Situado a 1900 metros de altitud, cuenta con una capacidad para 64 personas. **Web:** refugio picondejerez.com **Tel:** +34 622 762 265 y **mail:** info@refugiopicon dejerez.com

- **Mapa:** https://desni.in/frwyx

Puntos por los que pasa la ruta:

Pico Papeles	(3.2 km)
Picón de Jerez	(9.4 km)
Nacimiento del Alhorí	(10.8 km)
Cascada Del Alhori	(11.9 km)
Refugio Postero Alto	(15.5 km)
Puntal de Juntillas	(21.7 km)
Laguna de Juntillas	(22.6 km)
Puntal de Vacares	(27.7 km)
Laguna de Vacares	(28.6 km)
Pico del Cuervo	(30.2 km)
Refugio Peña Partida	(36.7 km)

Ahora toca girar al norte y armarse de paciencia para superar los cerca de seiscientos metros que nos separan del puntal de Vacares. Hasta llegar a la laguna homónima la pendiente es llevadera, pero a partir de aquí la cosa cambia, coincidiendo con un giro hacia el oeste.

La pendiente se agudiza paulatinamente hasta que a 3050 m nos toque pararnos para decidir entre dos opciones: seguir rectos y llegar a la cumbre por un corto corredor que nos obligará a descalzar esquís en la parte final, o bien hacer un flanqueo a izquierdas, bastante expuesto pues hay una zona de tajos debajo, que nos llevará hasta la arista cimera donde giraremos a la derecha para en unos cientos de metros hollar la cumbre. Esta segunda opción nos permite alcanzar la cumbre sin quitarnos los esquís, pero es bastante comprometida en el caso de que haya hielo, cosa bastante común en este pasaje.

En cualquier caso, las vistas desde la cumbre son maravillosas, sobre todo hacia el oeste, pues en esa dirección se pueden ver todos "los grandes de la Sierra", salvo el rey Mulhacén, que se esconde detrás de su reina, la Alcazaba.

Para bajar se desanda el camino de subida y, una vez llegados al punto en el que

se bifurcaban los caminos, disfrutaremos de una esquiada memorable hasta la laguna de Vacares, lugar en el que volveremos a poner pieles.

En este punto estamos a 2900 m. Nos dirigimos a la divisoria que alcanzaremos en la cuneta de Vacares (2970m) y de aquí en un salto nos encaramamos en La Atalaya (3147 m).

Todavía nos queda ruta: ahora una deliciosa esquiada hasta el cauce del río Vadillo a 2150 m, para ello seguiremos la loma hacia el norte, hasta que a 2950 m giremos marcadamente a la derecha para descender por unas palas empinadas. En esta parte procuraremos llevar como referencia un espolón poco marcado que va nuestra izquierda que nos va a permitir dar con el divertido tubo de salida.

Nos queda la última subida para llegar a la cota 2500 por la que pasamos ayer, y después para llegar al punto de partida solo tenemos que desandar el camino, normalmente sin poner pieles pero sin evitar remar a ratos.

Desnivel positivo: 2300 m. **Distancia:** 26 km. **Tiempo:** 7-9 horas. **Dificultad:** PD-esquí 2. Atentos en la parte final del puntal de Vacares.

José Ángel MÉNDEZ CONTRERAS